La memoria

1009

LE INDAGINI DI PETRA DELICADO

DELLA STESSA AUTRICE

Alicia Giménez-Bartlett

Sei casi per Petra Delicado

Traduzione di
Maria Nicola

Sellerio editore
Palermo

2011 © Alicia Giménez-Bartlett per «Petra en Navidad»

2013 © Alicia Giménez-Bartlett per «Verdadero amor», «Princesa Umberta»

2014 © Alicia Giménez-Bartlett per «Carnaval diabólico», «Parecido razonable», «Tiempos difíciles»

2015 © Sellerio editore via Enzo ed Elvira Sellerio 50 Palermo
e-mail: info@sellerio.it
www.sellerio.it

2024 Decima edizione

I racconti riuniti in questo volume sono apparsi per la prima volta nelle seguenti antologie:
Un Natale in giallo, 2011 («Un Natale per Petra»); Ferragosto in giallo, 2013 («Vero amore»); Regalo di Natale, 2013 («La principessa Umberta»); Carnevale in giallo, 2014 («Carnevale diabolico»); Vacanze in giallo, 2014 («Una vacanza di Petra»); La scuola in giallo, 2014 («Tempi difficili»).

Questo volume è stato stampato su carta Arena Ivory Smooth prodotta dalle Cartiere Fedrigoni con materie prime provenienti da gestione forestale sostenibile.

Giménez-Bartlett, Alicia <1951>

Sei casi per Petra Delicado / Alicia Giménez-Bartlett ; traduzione di Maria Nicola. – Palermo : Sellerio, 2015.
(La memoria ; 1009)
EAN 978-88-389-3408-7
I. Nicola, Maria.
863.64 CDD-22

CIP – Biblioteca centrale della Regione siciliana «Alberto Bombace»

Sei casi per Petra Delicado

Un Natale di Petra

Sono cose che succedono. Di rado, certo, una volta nella vita, forse due, ma posso assicurarvi che succedono perché è successo a me. Non ci potevo credere neppure io, eppure ero lì: la sera della vigilia all'ospedale Vall d'Hebron, il più grande di Barcellona, un mastodonte dell'epoca franchista dove la sanità pubblica doveva essere amministrata su scala gigantesca a maggior gloria del dittatore. Niente a che vedere con le piccole strutture oggi auspicate per favorire un trattamento più umano del paziente. L'esatto opposto, un monumento al Regime, tanto che il generalissimo in persona aveva tagliato il nastro inaugurale e fotografie dell'evento erano uscite su tutti i giornali. Queste erano le immagini, rievocate senza dubbio dal malumore, che mi passavano per la mente mentre percorrevo quei chilometrici corridoi. E come poteva essere altrimenti? Dovevo forse dimostrare di essere un fulgido esempio di virtù e dedizione al servizio? Chi non bestemmierebbe come un carrettiere bloccato in mezzo alla neve, vedendosi costretto a lasciare la tavola imbandita della cena di Natale per correre al lavoro? Nessuno, certo, nessuno che possa ritenersi minimamente normale. «Lo sa che ho pochi uomini in servizio in una notte come questa» mi aveva detto il commissario Coronas come se questo bastasse per scusarsi. «E poi si tratta solo di sentire un paio di testimoni, dopo se ne può tornare a casa. L'indagine non verrà neppure affidata a lei» specificò. E quando ebbi lasciato intendere tutto il mio disappunto, concluse: «È toccata a lei, Petra, poche palle». Capii alla perfezione l'argomento delle palle, ma quel che davvero mi mandò in bestia fu il cinico commiato che mi riservò Coronas: «Le auguro buon Natale, ispettore. Mi ero dimenticato di farle gli auguri; almeno così ho avuto l'opportunità di rimediare». L'avrei strozzato con le mie stesse mani.

Contro le pareti di quei lugubri corridoi, quasi deserti, i miei pensieri rimbalzavano senza lasciare la minima traccia, senza modificare in nulla il mio stato d'animo. «Radiologia», «Sala d'attesa», «Sala medica»... Camminavo di buon passo, cercando di non dare spazio all'inquietudine che mi assaliva a quell'ora in un posto simile. In fondo era un posto come un altro, dicevo a me stessa per rassicurarmi, almeno non ero lì per motivi medici, colpita da qualche grave malattia: febbre gialla o pellagra, che non ho la minima idea di cosa sia ma solo dal nome mi sembra terrificante. E poi, a ben vedere – anche questo faceva parte del mio training alla rassegnazione – avevo sempre odiato i cenoni natalizi. Quand'ero piccola mi divertivano, ma poi... Parenti che detesti e che ti si siedono vicino, porzioni enormi di piatti pesantissimi che ti rimarranno sullo stomaco, brindisi strampalati, ricordi del passato che ti assalgono riempiendoti di malinconia, ridicoli auspici di felicità... un orrore. Anche quella sera non prometteva di essere una meraviglia. Ero con Marcos e i ragazzi, ma si erano unite a noi un'anziana zia di Marcos, zitella, e sua sorella Pepa, ovvero mia cognata, che fedele alla tradizione di famiglia aveva già divorziato due volte. Stavamo finendo gli antipasti quando il telefono mi richiamò al dovere.

«Un omicidio all'ospedale Vall d'Hebron. Uno della mafia russa che era ricoverato lì, a quanto pare».

I bambini ne furono esaltati, non c'era da stupirsene, e il tacchino appena portato in tavola passò inosservato come uno straccio vecchio. Solo la zia di Marcos, che evidentemente non è un'appassionata di romanzi gialli, parve interessarsi al suo piatto.

«L'hanno ammazzato col mitra?».

«Santo Dio, Hugo, non siamo a Chicago!».

«Con un'iniezione letale?».

«Non è nemmeno un film di spionaggio, Teo».

«E c'è sangue dappertutto nella stanza?».

«Marina!» gridò Marcos. «Vi pare che questo sia un argomento adatto per una cena di Natale?».

«Be', io cominciavo a divertirmi» disse sua sorella Pepa.

«Il tacchino si raffredda» fece notare la vecchia zia.

Alla fine, prima che la situazione potesse degenerare in una lite, cosa del resto normalissima in qualunque cena di Natale che si rispetti, mi alzai da tavola e andai a infilarmi il cappotto.

«Ti aspettiamo?» disse Marcos.

«Neanche per sogno. Ma non farò tardi. Non sarò io a occuparmi dell'inchiesta, devo solo sentire dei testimoni, c'è poca gente in servizio ed è meglio non perdere tempo. Tenetemi da parte un po' di tacchino».

«E anche del torrone!» esclamò Marina.

«Certo, un bel pezzo di torrone, più duro e appiccicoso è e più mi piace».

Svoltai un ennesimo angolo di quel labirinto e vidi due agenti in divisa. Ero arrivata. Un laboratorio d'analisi fungeva da anticamera alla sala degli interrogatori. Dentro c'era Ernesto Quiroga, ispettore della squadra omicidi. Lo conoscevo, era una brava persona e sapeva lavorare.

«Che serata, eh?» commentai.

«Non ti dico. Una bella seccatura. C'era qui un russo ricoverato per un incidente d'auto, si presentano in due, passano i controlli all'ingresso e gli sparano in mezzo agli occhi col silenziatore. Se questa non è mafia, qualcuno mi spieghi cos'è».

«Ci sono testimoni?».

«Figurati. Stiamo interrogando tutto il personale di turno. Ma abbiamo anche due soggetti esterni alla struttura».

«C'è da sospettare?».

«Non credo, sono volontari di qualche iniziativa di solidarietà, o non so che menata. Interrogali, erano nel reparto accanto. Magari hanno visto qualcosa e non hanno il coraggio di parlare. Appena hai finito puoi tornartene a casa, non è il caso che ci roviniamo il Natale in due. Perfino il giudice se l'è filata appena ha potuto!».

«E tu? Mi pare che ti hanno incastrato bene».

«Non ti preoccupare. Tanto, per cenare con mia suocera e mio cognato... Un saccente che te lo raccomando, tutto quel che dici sbagli. Quando gli daranno il Nobel sarà ancora poco».

Risi.

«Adesso andiamo, però».

«Mettiti lì nello stanzino delle pulizie. Almeno non hai sotto gli occhi tutti questi aggeggi. Fanno impressione: provette piene di sangue, aghi dappertutto... Se rinasco non torno a fare il poliziotto, ma nemmeno il medico, te lo assicuro».

Il mio collega sembrava farla facile, ma finché non avessi visto come stavano le cose non c'era da stare allegri. Entrai nello stanzino preparato per gli interrogatori. Era piccolo, ma ordinato e senza cattivi odori. Da un lato c'era il carrello con le scope, gli spazzoloni e i secchi; dall'altro uno scaffale pieno di flaconi di detersivo, scatole di guanti, rotoli di carta. Nello spazio rimasto avevano disposto due sedie e un tavolino minuscolo, al quale mi sedetti. Il primo testimone tardò quasi dieci minuti a comparire, ma potevo ritenermi ancora fortunata dato il livello e i compiti del personaggio che ora avevo di fronte: si trattava di Babbo Natale in persona. Mentirei se dicessi che la cosa non mi stupì. Ma in un interrogatorio sei costretto a tenere sotto controllo qualunque genere di emozione, anche se ti trovi davanti al Papa travestito da majorette. Credo che simulai una paresi facciale, perché le domande che mi si affollavano nella mente rischiavano di farmi fare le smorfie più strane. Chi diavolo era quell'incredibile figuro con la faccia coperta di bambagia, la pancia malamente gonfiata da un cuscino e certi anfibi da militare che nulla avevano a che vedere con le nordiche calzature di Santa Claus? Prima che il vecchione natalizio si sganasciasse in una delle bonarie risate di rigore, gli dissi come se fosse la cosa più normale del mondo:

«Si accomodi».

Mi obbedì senza aprir bocca. Lo guardai. Ma tutta quella barba e quelle finte sopracciglia mi impedivano di farmi un'idea di chi fosse quel buffone.

«Si tolga quella roba».

«Anche il costume? Ma sotto mica sono vestito, la avverto».

Aveva una voce giovane, e una cadenza di periferia. Poteva anche tenersi tutto addosso, la voce continua a essere il migliore indicatore della collocazione sociale di un essere umano.

«Si scopra la faccia. E tolga anche la pancia».

Cominciò dal berretto rosso. Sotto, la testa era quasi rapata. Poi tirò l'elastico che tratteneva la barba finta. Vidi un mento rotondo, un orecchino d'oro all'orecchio destro. Imprecando per il dolore, si strappò le sopracciglia di cotone, incollate sopra le sue. Alla fine mi ritrovai davanti un ragazzo sui vent'anni: naso piccolo, sguardo penetrante, espressione poco affabile... come tanti suoi coetanei della periferia di Barcellona, o di qualche paese nei pressi di un poligono industriale. Estrasse un cuscino con i colori di una squadra di calcio da sotto la casacca.

«Nome?».

«Sergio Peláez Carrión».

«Professione?».

«Rappresentante».

«Luogo di lavoro?».

«Adesso sono disoccupato».

«Residenza?».

«Abito a Badalona. Le dico anche la via? La carta d'identità l'ho già data ai suoi colleghi».

«Non è necessario. Mi spiega che cosa fa qui vestito da Babbo Natale?».

Sulla bocca gli si disegnò un sorriso sarcastico.

«Il cretino, lo vede benissimo».

«Può specificare di che tipo di cretinata si tratta?».

Prese fiato come se si preparasse per un'immersione in apnea o una gara dei cento metri piani. Le orecchie gli si tinsero di rosso rubino.

«A me una storia così non me la fanno più, capisce, mai più. Perché una cosa è che sei un bravo tipo e magari ti va di fare del bene, e un'altra che ti prendano per il culo. Ci sono rimasto di merda, davvero, e per di più mi capita anche questa. La notte di Natale chiuso in un ospedale e con la polizia a rompere i coglioni, scusi l'espressione. Ma con le donne è sempre così, qualunque cosa fai ti fregano. Ha capito?».

«Non una parola, ma se me lo rispiega può darsi che ci arrivi anch'io».

«Spiritosa, la commissaria!».

«Ispettore. Ispettore Delicado. Cominci dall'inizio, la ascolto».

«Insomma, è stata la mia ragazza a convincermi. Erano giorni che me la smenava: tutti quei poveri bambini col cancro, che si passano il Natale in ospedale... cosa ti costa, no? Magari è anche divertente. Io fin da subito le ho detto di no, che colpa ne ho io se i bambini hanno il cancro, e poi mia madre quest'anno si era messa in testa di fare il cenone, con i nonni, gli zii, i cugini... un casino che non finiva più. E così le dico di no, e lei insisteva: poverini qui, poverini là, bisogna fare del bene... Sì, del bene un corno! Voglio vedere chi me lo fa a me, del bene, che sono due anni che non ho uno straccio di lavoro. Se ci stavo io in ospedale, a trovarmi non ci veniva nessuno, figuriamoci a farmi i regali. Neanche i miei, che mio padre è sempre incazzato nero col culo che si fa, e anche mia madre, che non ne può più di vedermi in giro per casa. Può capire che voglia ne avevo di vestirmi da coglione e sparare minchiate: "Ciao, piccolini, indovinate chi sono? Sono Babbo Natale. Siete stati buoni?". E la depressione che mi è venuta, ispettore, a vedere tutti quei bambini chiusi qua dentro, con le occhiaie e la testa pelata, che sai che hanno il cancro e non sai nemmeno se se la cavano. Mi dica lei se è una cosa bella venire in un posto simile proprio la sera di Natale».

Davanti a un simile geiser verbale, scelsi di non contraddirlo. Non potevo trattarlo male, non era neppure lì come indagato. E poi dovevo riconoscere che quel che diceva mi divertiva, e anche il suo modo diretto e sboccato di dirlo.

«Certo che no» risposi. «Mi vengono in mente mille altre cose più divertenti. Però bisogna dire che stare vicino a chi soffre in queste ricorrenze è un atto di carità da ammirare».

«Cosa mi tocca sentire! Proprio quel che diceva la mia ragazza. La carità! Be', per me la carità la devono fare i ricchi, quelli che di soldi ne hanno tanti che non sanno dove metterli, banchieri e roba del genere. E anche quelle signore che poi vedi la foto sui giornali con i vestiti firmati. Ma io? Io sono più disgraziato di un pezzo di merda!».

«Moderi il linguaggio, per favore».

«È vero, ha ragione. Però ha capito cosa voglio dire: non ho un centesimo, vivo con i soldi che mi danno i miei e che non mi bastano nemmeno per le birre, non trovo lavoro anche se lo cerco da una vita, i miei fratelli mi rompono i coglioni... L'unica cosa che ho è lei, la mia ragazza, che almeno in questo sono stato fortunato. Se sono qui è solo per far piacere a lei! È lei che si è fatta venire la fissa della carità. E poi la faccia che hanno questi qui dell'ospedale! Io credevo che qualche euro per la cena e il biglietto dell'autobus ce l'avrebbero dato. Non so, un rimborso per il panino. Niente, manco quello! Grazie tante e arrivederci. Un mucchio di chiacchiere: "Avete fatto felici dei bambini, è stato un grande gesto di solidarietà, siete meravigliosi...", e poi via, un calcio in culo e fuori! Ti vesti come un cretino, ti carichi di giocattoli, ti passi la serata facendoti venire una depressione da cavallo, e poi: "Grazie, avete fatto una cosa bellissima", e ti ritrovi in strada, con i bar chiusi e nemmeno una birra per rimetterti in sesto. Bello, fare la carità, già che ci sono la vado a fare anche in capo al mondo».

«Ce ne sono di lebbrosi in Africa».

Rimase interdetto, mi guardò di traverso:

«Mi sta prendendo in giro, ispettore?».

«No, le stavo offrendo un argomento di conversazione, visto che le piace tanto parlare…».

«Sì, lo so che sono un po' logorroico, ispettore, è che questa storia mi ha dato sui nervi, e poi come se non bastasse vengono qui a far fuori un mafioso…».

«Come sa che era un mafioso?».

«Ho sentito che lo dicevano le infermiere».

«Su, mi racconti meglio. Diceva che è stata la sua ragazza a indurla a venire qui per il Natale dei bambini».

«È stata lei, sì. Però è stato il prete nuovo della parrocchia a farle il lavaggio del cervello. Be', l'ha fatto un po' con tutti. È un prete giovane, di quelli che fanno i simpatici, va in giro vestito normale, parla con i ragazzi, non rompe troppo le palle sulle messe e le preghiere. Ha messo su una squadra di basket, e chi vuole può far delle feste all'oratorio… Lascia anche fumare e tutto! Così piace alla gente e continua a organizzare le sue storie in parrocchia. Sandra ci va perché fa il corso di spagnolo agli immigrati. Tutti i giovedì sera, ci crede? Lavora tutto il giorno in un negozio di scarpe, e quando esce va a far lezione a quelli là, dalle otto alle dieci. E poi non è mica stanca né niente. Per me è una cosa assurda. E non è finita qui, ci sono anche gli extra. Va a trovare i vecchi in casa di riposo, inventa queste serate per i bambini all'ospedale... Una rottura che non le dico. Ma adesso io gliel'ho detto: "Questa è la prima volta che mi freghi con le tue storie della solidarietà, ma sarà anche l'ultima. E digli pure al tuo prete che fare la carità quando sono gli altri a metterci la faccia è troppo comodo". E allora lei mi fa: "Ma non ti è piaciuto vedere com'erano contenti quei poverini quando davamo i regali?". E io, che ormai mi ero scaldato: "Contenti? Ma se erano mezzi morti! Non hai visto che facce avevano che sembravano dei tossici? Comunque loro i regali li hanno avuti, e cos'ho avuto io? Magari un po' di carità potevano farla anche a me quelli dell'ospedale: che ne so, una bella felpa firmata, o una bottiglia di whisky!". Allora Sandra, invece di prendersela, mi dice con un'aria da santa: "Magari quello che hai fatto è servito per salvare la tua anima, tu non lo sai. Magari è una delle poche cose buone che hai fatto nella tua vita". A quel punto non ci ho più visto. "Ma tu chi cazzo sei per decidere se la mia anima si deve salvare o no? Non è che magari ti vuoi fare quel prete?"».

«E lei cosa le ha risposto?».

«Mi ha detto che ero un pezzo d'animale».

«Capisco. Non si preoccupi, sarà stata una licenza poetica».

«Senta, ispettore, se vuole prendermi in giro, la avverto che sono davvero incazzato».

«Ah, sì? Non mi dica! Tanto da aver voglia di ammazzare qualcuno?».

I suoi occhi si irrigidirono come quelli di un falco leggermente fuori di testa. In quel momento si sentì bussare, era il collega Quiroga.

«Petra, puoi venire un momento?».

Quiroga si era tolto la cravatta, e i quattro capelli che aveva in testa puntavano in tutte le direzioni. Mi portò in corridoio.

«Come va con Babbo Natale, te l'ha portato il regalo?».

«Per ora lo lascio parlare; se ha visto qualcosa, prima o poi lo dirà, quello ha una lingua che non lo ferma nessuno. Appena decide di riprendere fiato e si sente più in confidenza, gli faccio io una serie di domande».

«Fossi in te, cambierei tattica. Mi dicono che ha dei precedenti».

«Non ci credo!».

«Niente di spettacolare, una piccola rapina».

«Era armato?».

«Aveva un coltello a serramanico. Cinque anni fa, poi non c'è più stato niente. Però non si sa mai. Ti conviene mettergli un po' di paura e vedere come reagisce».

«Vuoi che lo passi a te?».

«Scherzi? Non so più dove sbattere la testa. Abbiamo identificato la vittima. Intuizione confermata: un piccolo delinquente russo legato a qualche banda».

«E il ragazzo passa tra gli indagati?».

«Non credo, ma vedi un po' tu».

«Ho bisogno di un caffè. È aperto il bar di sotto?».

«Mi sa di no. Ma al secondo piano il personale si è organizzato. Caffè solubile e biscotti, è già qualcosa».

Mi incamminai verso l'ascensore. Al secondo piano c'era un po' di vita. Le infermiere andavano di stanza in stanza con i carrelli. Doveva essere l'ora della terapia. Nessuno mi chiese che cosa facessi lì. Sapevo che il servizio di sicurezza all'ingresso intercettava chiunque non avesse un'autorizzazione scritta a prestare assistenza ai pazienti. Ma in un ospedale così grande sembrava facilissimo commettere un crimine.

Le porte delle stanze erano aperte. Passando, gettai uno sguardo all'interno. Rimasi inorridita. Gli occupanti erano tutti vecchi, vecchi quasi agonizzanti, per qualche malattia terminale o anche solo per l'esaurirsi della vita. Mi fermai per un attimo davanti a un uomo, appena un rilievo orizzontale e minimo sotto il lenzuolo. I lineamenti del viso cancellati dal tempo, le mani come rami nodosi abbandonati su quel bianco. Gemeva lievemente, come fra sé. Accelerai il passo, con un groppo in gola. L'odore di caffè mi guidò fino in fondo al corridoio, una porta socchiusa mi permetteva di intravedere l'oasi promessa. Una giovane dottoressa beveva a piccoli sorsi da un bicchiere di plastica.

«Sono l'ispettore Delicado, della polizia nazionale. Mi hanno indirizzata qui dicendo che qualcuno sarebbe stato così ospitale da offrirmi un caffè».

«Certo, cosa può esserci di più ospitale di un ospedale?» mi disse lei, giocando con le parole. «Si serva. Il caffè è spaventoso, ma almeno è caldo».

Mi avvicinò un bicchiere di plastica, indicò una zuccheriera con un cenno del mento.

«Come vanno le indagini, ispettore?».

«Non lo so. Io sono venuta solo di rinforzo. E i pazienti, come vanno i pazienti del reparto?».

Lei rise con una punta d'ironia.

«Li ha visti, no?».

«Non mi è parso che fossero sulla via della guarigione».

«Sono anziani».

«Vengono qui a morire?».

«Non è detto. A volte si riprendono e se ne vanno a casa. Ma dopo un po' ce li riportano. Si sono rotti il bacino cadendo nel bagno, o si sono presi qualche altro malanno… La gente non è capace di sopportare la vicinanza della morte. A noi sembra ingiusto che in India chi sta male se ne vada in un luogo santo per lasciarsi morire in pace, però qui non è molto diverso. Il luogo santo è l'ospedale, l'unica differenza è che noi non cerchiamo la pace, ma ci diamo da fare per combattere la morte fino all'ultimo momento».

«Non so cosa sia meglio».

«Io sì» mormorò. «Sono riuscita a deprimerla abbastanza?».

«Se era quella la sua intenzione, direi che ci è andata vicino».

Rise di nuovo, mi guardò con simpatia, senza un'ombra di severità.

«Sono sicura che se lei mi parlasse del suo lavoro, mi deprimerei anch'io».

«Non credo. Il delitto è l'eccezione, mentre la vecchiaia e la morte…».

Lei mi rispose con un colpetto sulla spalla come se

ci conoscessimo da sempre, buttò nel cestino i resti della sua cena di Natale e aprì la porta.

«Devo andare. Buonanotte, ispettore. Le auguro molta fortuna nelle sue indagini!».

Uscì, e un attimo dopo si riaffacciò sulla porta:

«Ispettore, me ne dimenticavo: buon Natale!».

«Buon Natale anche a lei, dottoressa, buon Natale!».

Accidenti! Quella donna era riuscita a rendermi più triste di una vedova senza pensione. Uscii cercando di non guardare né a destra né a sinistra, e quando finalmente entrai nell'ascensore lo trovai meravigliosamente rassicurante, un rifugio moderno e funzionale, dove sarei potuta rimanere a vivere per sempre: pulito, asettico e utile, una vera casa.

Chiesi all'agente che avevo lasciato di guardia al mio testimone se ci fossero novità.

«Ha chiesto dell'acqua. Gli ho detto che appena lei tornava sarei andato a prendergliela».

«Il bar è chiuso. Può bere dal rubinetto, lì dentro ce n'è uno».

«Gliel'ho detto anch'io, però lui dice che vuole l'acqua minerale».

«Certo, con ghiaccio e fettina di limone. Avrà qualche preferenza per la marca?».

«Vado o non vado, ispettore?».

«Non se ne parla nemmeno, resti dov'è».

Sergio mi guardò spazientito quando rientrai. Per la prima volta mi accorsi che era poco più che un adolescente.

«Posso andarmene, adesso?».

«No, sembra di no».

«Ho sete. Ho chiesto al tipo di portarmi una bottiglietta d'acqua».

Presi un bicchiere di plastica da una confezione che trovai sullo scaffale, andai al lavandino e lo riempii. Glielo porsi.

«Non bevo mai acqua del rubinetto, ispettore. Dentro può esserci qualunque schifezza, e poi sa di candeggina».

Posai il bicchiere sul tavolo, mi sedetti, accavallai le gambe. Tutto molto lentamente.

«Questa è l'acqua che c'è».

«Ispettore, lei non può trattarmi come le pare, io non sono sospettato di niente, sono un testimone, e per di più se sono qui è perché facevo la carità, quindi…».

«Questa è l'acqua che c'è» ripetei nello stesso tono di prima.

«Allora ne faccio a meno. Comunque non potete tenermi qui senza un mandato del giudice. Io non posso dirvi niente su quel delitto perché non ho visto niente, non so nemmeno di cosa state parlando».

«Vedo che la teoria la conosci bene, Sergio. Vai forte in diritto, eh? Allora forse saprai che un pregiudicato che si trovi sul luogo di un delitto passa automaticamente fra gli indagati».

In silenzio, cominciò a far scorrere lo sguardo sulle pareti come se entrasse per la prima volta nella sala di un museo. Poi borbottò a voce bassissima delle frasi incomprensibili. Alla fine, esplose:

«Io non ho fatto niente, e se voi sapeste fare il vostro mestiere, l'avreste già capito. A chi può venire in mente che io conosca uno della mafia russa?».

«Le vie del Signore sono infinite».

«Cosa? Se sono in stato di fermo voglio un avvocato d'ufficio».

«Non sei in stato di fermo né niente. E qualunque avvocato la notte di Natale ti assicuro che ci mette un po' ad arrivare. Quindi la cosa più pratica è che tu mi dica tutto quello che sai. Conoscevi la vittima? Perché ti trovavi in ospedale proprio stasera?».

«E che cazzo, ispettore! Non mi sta nemmeno a sentire? Io non conoscevo nessuna vittima, io ero qui a fare il cretino vestito da Babbo Natale!».

«Allora te lo chiedo in un altro modo».

Una nuova serie di colpetti alla porta mi interruppe.

«Avanti» gridai. Gli occhi mi si spalancarono per la sorpresa, alzai perfino le sopracciglia per aprirli meglio. Garzón, il viceispettore Fermín Garzón in persona occupava il vano della porta. Imponente, in elegante abito scuro, con un gran sorriso da un orecchio all'altro neanche fosse lui Babbo Natale.

«Può venire un momento, ispettore?».

Balzai in piedi con l'energia di un militare. Appena fummo in corridoio lo interpellai senza lasciargli il tempo di dire una parola.

«Si può sapere cosa diavolo ci fa lei qui?».

«Piaciuta la sorpresa, eh? Be', visto che hanno richiesto una verifica sulla fedina penale del testimone, e si dà il caso che di turno ci fosse Requejo, che è una brava persona, a lui è venuto in mente di farmi un colpo di telefono. Mi ha detto: "Ci sarebbe la tua collega, l'ispettore Delicado, un tantino nei pasticci. Le hanno rovinato la sera di Natale". E allora io, per dovere di solidarietà...».

«Non pronunci questa parola in mia presenza!».

«Come vuole. Allora io, pensando che magari potevo darle una mano... be', a dire il vero ho aspettato che arrivasse in tavola il maialino arrosto, con la mela in bocca e tutto. Ma non deve preoccuparsi, mia moglie aveva invitato sua sorella, il giudice e una serie di bacucchi dell'università, tutti vedovi o non so cosa, uno più barboso dell'altro... Avere una scusa per scappare è stata una benedizione».

«Lei ha bevuto, Fermín!».

«Qualche bicchiere pasteggiando! Penserà mica che mi impediscano di lavorare!».

«Però non può infilarsi di straforo nell'indagine solo per scappare dal suo cenone. L'ispettore incaricato...».

«Mi prende per un incapace? Ho già parlato con l'ispettore Quiroga. Dice che faccio benissimo a darle una mano. Mi ha aggiornato sulla questione. La vittima è stata identificata come Lev Tomasevskij, con precedenti in Russia per associazione a delinquere. È ovvio che l'hanno fatto fuori perché non parlasse, ma non sappiamo di cosa. Stanno cercando di capire a quale gruppo appartenesse. C'è qualcos'altro che desidera sapere? Magari non l'hanno ancora informata che nella via qui dietro c'è un bar aperto. Che gliene pare, eh?».

«Devo applaudire, o basta che le dica bravo?».

«Non si preoccupi, è evidente che sono perfetto. Ha già interrogato la ragazza? Mi hanno detto che i testimoni estranei all'ospedale sono due, di cui uno pregiudicato».

«Infatti. E non ne posso più di starlo a sentire. Provi a entrare lei e a dargli una bella ripassata, già che è venuto fin qui…».

«Lei mi invita a nozze, ispettore. Eseguo».

Andai a sedermi su una panca in corridoio. Il vice-ispettore entrò nello stanzino come un generale pronto a piantare le sue bandierine. Contento lui. E io, ero contenta che fosse venuto? Chi lo sa. Comunque la sua presenza mi dava da pensare. Non era un caso che io e lui fossimo poliziotti. Un lavoro che non rispetta nemmeno l'intimità delle feste in famiglia, che in qualunque momento ti acchiappa con i suoi artigli e ti fa dimenticare di avere una vita domestica, dei parenti, una cena di Natale che esige la tua partecipazione attiva, la tua comprensione, la tua dedizione ai membri del clan, era il lavoro fatto apposta per noi. Né io né Garzón potevamo dirci felici di trinciare il tacchino in compagnia e brindare con lo spumante alla concordia universale. A questo punto dovevo riconoscerlo. Vedere il mio collega pronto ad ammettere un simile sentimento mi aveva aperto gli occhi. Una cosa è avere delle persone a cui voler bene e con cui vivere più o meno in armonia, un'altra è ritrovarsi coinvolti in un rito collettivo che impone comportamenti e azioni che non hanno alcun senso. Sì, potevo dirlo, per me la cena di Natale era una farsa, una gran rottura di scatole, una perfetta assurdità. Seduta a tavola col mio più bel vestito mi sentivo come una gallina in batteria. Era come sbandierare ai quattro venti la mia vita domestica, come dichiarare ufficialmente che nulla era rimasto del mio nucleo segreto, ribelle e solitario che costituiva il motore della mia vitalità. Garzón doveva pensarla allo stesso modo, e solo quel povero maialino arrosto era riuscito a trattenerlo qualche minuto in più al desco familiare. Per fortuna era intervenuta una telefonata e lo spirito di solidarietà gli aveva aperto una via di fuga. Qualunque attività che imponesse di essere sempre pronti all'emergenza sarebbe andata bene per noi: medici, pompieri, soccorritori alpini... poco importava quel che facevamo, l'importante era non sentirsi mai completamente inseriti in una società a compartimenti stagni.

Come regolarmente mi succede quando mi metto a filosofeggiare sugli spigoli della mia personalità, mi venne un sonno terrificante. Ma non volli abbandonarmi all'istinto e lasciare tutto il lavoro al viceispettore. Bussai alla porta ed entrai. Sergio era semiaccasciato sul tavolo, con la faccia tra le mani, gli occhi persi nell'immensità della disperazione. Mi guardò come se fossi la sua salvatrice.

«Meno male che è tornata. Glielo dica lei a questo tipo qua che io di mafiosi non ne conosco, tanto meno russi, e gli dica perché sono qui. Magari a lei dà retta».

«Questo tipo qua, come dici tu, è viceispettore di polizia, e potrebbe essere tuo padre, quindi abbi un po' di rispetto».

«Ma quanti poliziotti ci sono in questo ospedale? Magari in tutta la città rubano e si ammazzano e voi siete qui a rompere le scatole a un ragazzo innocente!».

«Senti, ragazzo innocente, smettila di preoccuparti per il resto della città e rispondi. Chi hai aiutato a entrare nell'ospedale perché si occupasse di Lev Tomasevskij?».

«Chi ho aiutato a far cosa? E chi sarebbe quello che ha detto, un nuovo giocatore del Barça?».

Garzón mi fece cenno di uscire un attimo con lui. Fuori dallo stanzino abbassò la voce:

«Questo ragazzo è un poveretto, ispettore. Non mi pare proprio che possa essere in contatto con una banda di mafiosi, tanto meno russi».

«Certo, ha tutta l'aria di essere un idiota, ma non è detto che una banda di idioti non si serva di un tipo così».

«A proposito, tante grazie di aver detto che potevo essere suo padre. Mi si sono rizzati i capelli al solo pensiero».

«È un modo di dire».

In quel momento comparve l'ispettore Quiroga tutto trafelato. Ci chiamò in corridoio. Pareva terribilmente serio.

«Signori, la cosa si complica. Abbiamo sentito di nuovo la guardia giurata che era all'ingresso al momento dei fatti. Rivedendo i filmati e gli orari, viene fuori che questa sera, nel giro di un'ora, di babbi natale ne sono entrati quattro».

Il silenzio fu la nostra unica risposta.

«Siccome si sapeva che sarebbero venuti dei ragazzi per il Natale dei bambini, a nessuno è venuto in mente di contarli. Pensavano che venissero a due a due».

«Questo significa che ne abbiamo pescati solo metà» disse scioccamente Garzón.

«Questo significa molte cose. Gli assassini sono entrati mascherati, si sono mossi per l'ospedale con piena libertà, hanno compiuto l'omicidio e si sono cambiati. Vestiti normalmente sono potuti uscire con i visitatori senza dare nell'occhio».

«Ma questo significa che sapevano del Natale dei bambini in ospedale» feci notare.

«Certo, anche l'ora precisa».

«E come avrebbero fatto a trovare la stanza della vittima?» domandò il viceispettore.

«Probabilmente nel modo più civile, chiedendo al banco informazioni. Dal centralino stanno rintracciando gli impiegati di turno a quell'ora e non credo che tardino ad arrivare».

«Che lavoro!» commentai. «E il prete della parrocchia l'avete contattato?».

«Sta arrivando anche lui. Le cose bisogna farle a caldo, sempre a caldo».

Garzón, che non era molto lucido, tornò a domandare:

«E questo può voler dire che il ragazzo di là c'entra qualcosa?».

«Chi può dirlo? Certo che quanto più ne so, più mi sembra sospetto. Lui e la fidanzata, che però è pulita».

«Invece a me, quanto più ne so, più mi sembra deficiente».

«Non si fidi, Garzón, non si fidi! Lo sa come dicono quei versi: "il vero assassino, sa fingersi agnellino"».

«E la fidanzata, cosa dice la fidanzata?» chiesi io.

«Che non sa niente, che non sapeva nemmeno che il ragazzo avesse la fedina penale sporca, cosa che non mi stupisce. Del resto tutti i peggiori delinquenti hanno fortuna con le donne. È una ragazza carinissima, e piena di spirito cristiano. Ditemi voi cosa ci fa con un disgraziato simile. E adesso al lavoro, signori!».

Si allontanò a passo marziale, come se fosse alla testa di un esercito. Garzón mi guardò perplesso.

«E quella cosa dell'agnellino, da dove l'avrà tirata fuori, dall'antologia dei classici spagnoli?».

«È evidente che se l'è inventata. Nessun classico al mondo può aver scritto una sciocchezza simile. Ma non è l'ispirazione poetica di Quiroga che mi interessa. Quel che mi preoccupa è che "una ragazza carinissima" possa sembrargli di per sé una santa».

«Carinissima e cristiana, non lo dimentichi».

«Lasciamo stare i luoghi comuni, per favore. E torniamo dal ragazzo».

Il ragazzo sembrava sempre più confuso e agitato; ma questo non lo rendeva né più colpevole né più innocente, semplicemente dimostrava che era stanco. Garzón lo tormentava senza pietà. Ho sempre detestato gli interrogatori basati sulla reiterazione per esaurire psicologicamente l'interrogato. Esauriva anche me stare a sentire il mio collega ripetere sempre la stessa serie di domande, senza cambiare ritmo né tono, nemmeno la lunghezza delle pause, con la speranza che l'interrogato si contraddicesse. A un certo punto Sergio chiuse gli occhi, chinò la testa, appoggiò il mento sul petto e rimase immobile. Mi alzai.

«Vado a prendere una bibita e un panino per questo ragazzo. Cosa ne dici, Sergio, pensi che ti farebbe bene mangiare qualcosa?».

Lui annuì, quasi esanime. L'obiettivo di Garzón era in parte raggiunto: il ragazzo non aveva ancora raccontato niente ma sembrava aver perso ogni capacità di resistenza. Era il momento di passare a maniere più morbide. Il viceispettore mi rivolse uno sguardo complice.

«Vado io, lei non sa dov'è il bar».

Ma neppure quando fummo soli il ragazzo alzò la testa. Cercai di mettere un po' di dolcezza nella voce:

«Davvero tu non c'entri niente con questo omicidio, Sergio?».

Lui scosse la testa senza dir nulla.

«Raccontami tutto quello che sai e poi te ne vai a casa, te lo prometto».

«E cosa vuole che le racconti? La mia ragazza mi ha chiesto di vestirmi da Babbo Natale e di venire qui, questo è quello che ho fatto. Non so nient'altro». Le sue parole suonavano meccaniche.

«Sono entrati altri due uomini, vestiti da Babbo Natale anche loro. Qualcuno gliel'avrà detto che dovevate venire oggi».

«Noi no».

«Nemmeno la tua ragazza?».

«No» mormorò.

«Stanno interrogando anche lei. Ci pensi? Sarà stanchissima, ormai».

Fu come se gli avessi dato un pizzicotto. Aprì gli occhi, mi fissò.

«Se le fate qualcosa io vi ammazzo tutti, capito? Vi ammazzo».

«Questa minaccia non è tanto raccomandabile per uno nelle tue condizioni».

«Me ne frego. Sandra è la più brava ragazza del mondo, la più gentile, la più bella. Se le torcete un capello, ve la vedete con me».

«È molto che uscite insieme?».

«Tutta la vita! Da quando eravamo alti così. E tra un po' ci sposiamo, perché Sandra è di quelle che ci tengono al matrimonio, che vogliono avere dei figli, una famiglia. A quest'ora saremmo già sposati se non mi fosse andata così schifosamente col lavoro. E non ci voleva anche questa, adesso!».

Poco dopo arrivò Garzón con un sacchetto. Ne tirò fuori un paio di bibite e dei panini. Mi fece un cenno e uscimmo.

«Ho incontrato Quiroga. Dice di raggiungerlo. Pare sia arrivato il prete».

L'altra sala destinata agli interrogatori era più grande della nostra ma meno accogliente. Vi trovai il mio collega con un uomo di meno di quarant'anni, un bel tipo, robusto e vestito in modo informale, con pantaloni di velluto a coste e un vecchio maglione. Mi ricordò i leader contestatari della mia gioventù. Il parroco era lui, si presentò come Juan. Non sembrava particolarmente contrariato di trovarsi lì. Pensai che anche per un prete le chiamate a ore intempestive e il lavoro nei giorni di festa erano cose più che normali. Quiroga teneva le redini della conversazione. Il prete rispondeva con calma e in modo molto chiaro. No, lui non aveva mandato altri babbi natale, solo Sandrita – così la chiamava –

e il suo fidanzato. Sì, la ragazza era molto attiva in parrocchia, era un aiuto prezioso. E qui ci tenne a farci un discorsetto su quanto siano ingiustamente sottovalutati i giovani d'oggi. No, il ragazzo non frequentava la parrocchia, anche se di vista lo conosceva, e naturalmente non sapeva che avesse precedenti penali.

Con uno sguardo chiesi a Quiroga di poter intervenire, e lui, con un movimento del mento – sia lodato il linguaggio gestuale poliziesco – me lo concesse.

«È vero che Sandra fa lezione di spagnolo a un gruppo di immigrati?».

«Sì, non è una ragazza con una grande istruzione, ma ha molta buona volontà e ci si dedica con passione, quindi riesce bene. Abbiamo una quindicina di allievi».

«Di che nazionalità?».

«Delle più diverse. Pachistani, marocchini, qualche somalo, un paio di cinesi...».

«Qualcuno dell'Est: bulgari, lituani, russi...?».

«Sì, però non ne sono sicuro. Aspettate che controllo».

Dalla tasca del suo parka, appeso all'attaccapanni, estrasse un nuovissimo iPad che ci lasciò a bocca aperta. Quiroga addirittura fischiò.

«Che modernità!».

«Me l'ha appena regalato mia sorella per Natale» si scusò subito il religioso per tanto lusso tecnologico. «E credo che sarà un magnifico strumento di lavoro. Guardi, ho già caricato quasi tutto il mio archivio. Ora vi dico subito».

Si raccolse nel fitto digitare dei devoti dell'informatica. Alla fine disse:

«Ecco qui la lista. In effetti sì, abbiamo un allievo ucraino: Yuri Serov, trent'anni».

«Ha altri dati?».

«Ma certo, fa il meccanico in un'officina del Guinardó. Ho qui l'indirizzo del lavoro e quello di casa, e un numero di cellulare».

Quiroga si annotò tutto su un taccuino, strappò il foglio e uscì a cercare uno degli agenti per fargli controllare i dati. Quando rientrò, tornò alle domande:

«Lei sa se Yuri e Sandra si vedessero al di fuori delle ore di lezione?».

«No, non saprei. Ogni tanto capitava che si fermasse con qualcuno che aveva bisogno di maggiore aiuto».

«E lì non c'è segnato se quell'aiuto è stato dato anche a lui?».

«No, ispettore. Vede, son tante le cose di cui mi occupo: gli ex tossicodipendenti, la nursery per le madri bisognose, le attività sportive per i ragazzi nel fine settimana... e questo solo per quanto riguarda il sociale. Devo anche pensare al culto: dir messa, amministrare i sacramenti, confessare i fedeli... Non riesco ad avere tutto sotto controllo al cento per cento».

«Posso chiederle di uscire un attimo nel corridoio, padre?».

Il prete uscì. Quiroga ed io ci guardammo. Lui alzò le sopracciglia con espressione interrogativa.

«Una ragazza carina e religiosa a cui non spiace qualche soldo extra anche se viene dalla mafia?».

«Propendo più per il movente amoroso. Il fidanzato è un poveretto».

«Allora interrogala tu, Petra. Una donna è più adatta a questo genere di cose».

«No, Quiroga. Se mi permetti un parere, è meglio muoversi in questo modo: cominci tu, se scarti il movente economico e ti pare che resti in piedi quello amoroso, allora entro in scena io. Poi, se necessario, chiamiamo il prete a dare il colpetto finale. Se è come penso io, confesserà. Sono quasi sicura che la ragazza non sa niente».

Poco dopo arrivarono le informazioni che aspettavamo: i dati che aveva il prete su quel Yuri erano tutti falsi, e probabilmente lo era anche il nome. Mentre Quiroga parlava con la ragazza, andai a vedere come se la cavava Garzón. Tanto Sergio quanto lui erano crollati: dormivano della grossa, in posizioni che più scomode non si poteva. Li lasciai tranquilli. L'agente sulla porta mi sorrise:

«Viene proprio voglia di farsi un sonnellino, vero, ispettore?» disse in tono di comprensione più che di sarcasmo.

Tornai davanti alla stanza di Quiroga, e senza badare a quel che potevano pensare gli agenti, mi sedetti su una sedia di plastica, rialzai il bavero del cappotto e cercai di dormire anch'io. Ci riuscii senza eccessivo sforzo. Dopo un po', quanto tempo non saprei dire, qualcuno venne a svegliarmi. Era Quiroga.

«Ha confessato, Petra. Non c'è bisogno che tu rimanga. Avevi ragione. Si è innamorata dell'ucraino, che l'ha utilizzata per una delle sue malefatte».

«Hai qualche dato attendibile su di lui?».

«Solo il numero di cellulare a cui rispondeva. È già qualcosa. Credo che la ragazza non sappia niente di quel che faceva il suo amore, ma se lo ritieni necessario, dalle tu un'ultima ripassata».

E così vidi la famosa Sandra. Era alta, atletica, con grandi occhi e lunghi capelli neri. Bellina, senza dubbio, ma come mille altre ragazze della sua età. Non credo che l'avrei riconosciuta se l'avessi incontrata una settimana dopo. Rimase interdetta quando mi vide, schioccò perfino la lingua come se dicesse, ecco, adesso si decidono a mandarmi una donna! Immagino che parlare d'amore con Quiroga non fosse stata una passeggiata, non lo sarebbe stata nemmeno per me. Aveva il naso gonfio e gli occhi rossi dal gran piangere. Cosa potevo chiederle? Niente che avesse interesse per le indagini, dal momento che aveva già confessato. Comunque ci provai:

«Gli uomini si servono sempre delle donne, vero? È una storia che conosciamo tutte».

Quello che fino a quel momento era stato un grosso dolore, si trasformò in rabbia, quando rispose:

«Ancora non ci credete che io non c'entro niente in questa faccenda, vero?».

«Certo, tu hai solo raccontato a Yuri che saresti venuta qui vestita da Babbo Natale, come gli raccontavi tante altre cose. Ma che il tipo che volevano liquidare fosse ricoverato nel reparto accanto, non è un po' troppo, come coincidenza?».

Lei rimase zitta, occupata com'era ad asciugarsi le lacrime.

«Ti ha dato lui l'idea di organizzare questo spetta-
colino di solidarietà? Non è stato così? In fondo proporre al parroco di portare i regali di Natale ai bambini ammalati era un'idea magnifica. Un suggerimento che
non potevi rifiutare».

Il mento le tremò in una nuova minaccia di pianto.
Più che parlare, sussurrai:

«Ti conviene dire tutta la verità, Sandra. Altrimenti sarà molto peggio, molto peggio per te».

«Lui mi aveva detto che al suo paese c'era questa usan-
za, di andare a trovare i bambini negli ospedali la notte di Natale. Però io non sapevo cosa volesse fare, lo
giuro».

«Non hai mai avuto sospetti su di lui?».

«Qualche volta mi aveva chiesto di tenergli certi pac-
chetti, di portarli a casa mia».

«E tu non gli hai mai chiesto che cosa ci fosse dentro? E perché dovessi tenerglieli proprio tu?».

«Era un ragazzo di poche parole, e non se la cavava
molto bene con lo spagnolo».

«Preferivi non chiedere».

Inevitabilmente, lei scoppiò a piangere. Parlando
fra i singhiozzi, finalmente vuotò il sacco:

«Io gli voglio bene ispettore, sono molto innamorata.
Non volevo assolutamente perderlo, e credevo che anche
lui provasse quello che provo io. Che stupida sono stata. Mi hanno detto che adesso dovrò parlare davanti a
un giudice, andare al processo… Glielo spieghi lei ai
suoi colleghi che cos'è una donna innamorata, cosa può
provare. Lei che è una donna, glielo dica».

«Ma per amore si può arrivare a essere complici di un omicidio? Io di certo no. Tu sì?».

Lei piangeva e piangeva mentre faceva di no con la testa.

«Io sono credente, ci credo davvero in Dio, non farei mai una cosa del genere. Ma voi non riuscite a capirmi, non ci riuscirete mai…».

Il suo dolore mi commuoveva, ma cercai di non darlo a vedere.

«Io non sono responsabile di questa inchiesta, Sandra. Sono venuta solo a dare una mano. Lo sai che cos'ho fatto fino adesso, mentre l'ispettore Quiroga mandava avanti le indagini? Sono stata a interrogare Sergio».

Lei si riscosse di colpo, si strofinò gli occhi col fazzolettino di carta, strinse i denti e mi guardò con durezza:

«Ah, sì? E allora?».

«Niente. Ha detto che non sapeva niente e non gli passa neanche per la testa che tu potessi sapere qualcosa».

«Quel che passa per la testa a lui, a me non interessa più».

«Perché ti sei stancata di lui?».

«Gliel'ho detto mille volte che la nostra storia non ha futuro, che deve lasciarmi in pace. Ma lui insiste, non vuol capire. Comunque stavo per dirglielo che mi ero messa con Yuri, e che appena avessimo risparmiato i soldi per la casa me ne sarei andata in Ucraina con lui».

«E nel frattempo non t'importava di farlo soffrire, vero?».

«Senta, ispettore...».

«La vita è strana, vero Sandra? Sergio ti ama con tutte le sue forze e tu, con tutte le tue forze, ami un altro. Che bei rospi ci tocca ingoiare!».

Lei si alzò furibonda, lanciava fiamme dagli occhi, ancora umidi di lacrime:

«Ma lei lo sa cosa vuol dire avere a che fare con un fallito, ispettore? Un disgraziato che non riesce mai a combinare niente? "Ah, tesoro, che sfortuna che ho! Ma appena mi trovo un lavoro vedrai come cambia tutto, vedrai". Sono stufa della sfortuna, ispettore. La sfortuna un corno! La sfortuna lui ce l'ha perché la vuole! Sa cosa le dico? Che preferisco un tipo con le palle, anche se è un assassino, e non mi vergogno a dirlo, lo posso dire anche davanti a un giudice, che un pappamolla come lui. E poi, questo cos'è, un interrogatorio o lo studio di uno psicologo?».

«Hai ragione. Non avrei dovuto toccare questo tasto».

La lasciai, e lei rimase lì imbronciata, a rimuginare una collera di cui non c'era traccia in lei quand'ero entrata. Scambiai qualche parola con Quiroga.

«Tu cosa dici?» mi chiese. «Sapeva del piano del suo spasimante o no?».

«Giurerei di no, ma non è facile dirlo. Comunque l'idea del Babbo Natale è venuta a quel Yuri, e lei l'ha messa in pratica. Se fosse al corrente o meno del piano, questo non è ancora chiaro».

«La interrogheremo ancora».

«Posso andarmene, adesso?».

«Ma certo, cara. Ti ringrazio enormemente, e ti chiedo scusa per averti disturbata proprio stasera. Il tuo contributo è stato preziosissimo. Mentre tu sentivi il ragazzo, ho potuto occuparmi di un mucchio di cose».

«E il ragazzo?».

«Mandalo pure via. Non c'è niente contro di lui».

Garzón mi aspettava sulla porta dello stanzino, con gli occhi gonfi di sonno. Gli raccontai com'era andata.

«Accidenti, ispettore, che storia! E adesso dobbiamo essere noi a dire a quel poveraccio che la sua santerellina stava col mafioso e di lui non ne voleva più sapere?».

«Nessuno ci obbliga».

«Meno male, perché non mi piace fare certe rivelazioni».

«Non piace neanche a me».

Entrammo. Sergio dormiva ancora, con la testa sul tavolo. Ci guardò come se non sapesse dov'era e neppure ci riconoscesse.

«Sergio, puoi andare. Non sei indagato, puoi stare tranquillo».

Si alzò d'un balzo.

«Era ora! Adesso passo di là dalla mia fidanzata e ce ne andiamo a casa».

«Con la tua ragazza non abbiamo ancora finito».

«Cosa?».

«Sai, formalità, faccende burocratiche. Con qualcuno ci mettiamo di più, con qualcun altro di meno. Perché intanto non vieni con noi al bar così ci rimettiamo in sesto con una birretta?».

Lui mi guardò sorpreso. E Garzón anche.

«E se nel frattempo lasciano andare Sandra?».

«Non preoccuparti, Sandra ne avrà ancora per un po'».

«E vabbè, vengo, così almeno capirete che non ce l'ho con voi. Magari siete anche delle brave persone e se c'è in giro un assassino dovete pure fare il vostro lavoro».

Erano le cinque del mattino, ma il bar era ancora aperto. Il padrone ci sorrise. Forse anche lui si era risparmiato una serata di Natale in famiglia.

«Che cosa vi servo?».

Ordinammo birra alla spina, un piatto di prosciutto a tocchetti, formaggio e pane con olio e pomodoro.

«Avete qualcuno all'ospedale?».

«Praticamente» risposi, per frenare la sua curiosità.

«Per tutta la notte non ha smesso di venire gente. Io non chiudo mai, neanche a Natale, perché un bar è un po' come un servizio pubblico, non vi pare?».

«Assolutamente e totalmente» risposi, abbondando negli avverbi.

Ci sedemmo a un tavolo lontano dal banco per evitare conversazioni indesiderate. Sergio era un po' intimidito. Evidentemente non capiva perché lo avessimo invitato a fraternizzare. E a dire il vero nemmeno io. Piluccammo le nostre *tapas*. Alla fine lui disse:

«Ma lei l'ha vista Sandra, ispettore?».

«Sì, le ho parlato».

«E sta bene?».

«Sì, sta bene».

«È una ragazza molto sensibile, soffre per tante cose, si preoccupa sempre per tutti. Certe volte le dico: "La-

scia perdere, tanto gli altri lo sanno come aggiustarsi".
Ma lei è fatta così, è come una santa. Dovrebbero metterla su un altare. Le ha detto che anch'io sto bene?».

«Ma sì, certo».

«Senti un po'» lo interpellò Garzón tra un boccone e l'altro. «Credi che valga la pena di idealizzare
tanto una donna? Guarda che le donne sono delle in-
grate».

«Sandra no. Lei è speciale. Guardi, signor Garzón, io
non sono sicuro di quasi niente. Non so che lavoro farò,
quali nuovi amici avrò, e nemmeno sono sicuro di dove
andrò a dormire stanotte. Ma se c'è una cosa per cui metto la mano sul fuoco, quella è Sandra. Lei è la donna della mia vita e sarà la madre dei miei figli».

«Anche i figli sono degli ingrati, ti avverto».

«Sì, certo, è la vita, e la vita è ingrata, però bisogna
pur vivere, no?».

Lanciai uno sguardo di minaccia al viceispettore.
Era inutile continuare su quella strada. Ma il ragazzo,
forse incoraggiato dall'attenzione che gli dedicavamo,
decise di esporci la sua filosofia di vita:

«C'è gente che vive alla grande, e gente che si arran-
gia come può... io ho sempre vissuto come potevo, da
povero sfigato, ve l'ho già detto, però sono ottimista.
Credo che ti possano succedere tante cose brutte, ma
c'è sempre qualcosa che ti salva. Pensate a uno come
me, che non riesce mai a combinare niente, che non sono bello e nemmeno palestrato, che non ho i soldi per
vestirmi e nemmeno la moto, eppure guardate un po',
esco con una ragazza che me la invidiano tutti».

Quell'ossessione per la ragazza stava cominciando a darmi sui nervi.

«Perché non te ne vai a casa, Sergio?» gli chiesi.

«No, preferisco aspettarla davanti all'ospedale».

«Vestito così?».

«Anche lei è vestita così, quindi siamo in due. Ce ne faremo di risate quando ci ricorderemo di tutto 'sto casino. Certo che me ne vado, però torno all'ospedale. Non voglio essere maleducato, ma ho paura che la mandino via mentre sono qui. Posso pagare la mia birra?».

«Offriamo noi, Sergio».

«Ecco, vedete come le cose alla fine si aggiustano sempre? Me la sono vista brutta, ma avrei potuto incontrare dei poliziotti stronzi, e invece ho trovato delle brave persone come voi».

Si allontanò col suo costume da Babbo Natale che gli pendeva da tutte le parti, ridotto a uno straccio dopo quella nottata. Aveva un aspetto davvero pietoso. Garzón ed io ci guardammo.

«Magari adesso che quel Yuri l'ha delusa, la ragazza non lo lascerà» disse Garzón già lanciato verso un finale alla Frank Capra.

«L'idea la fa sentire meglio?».

«Be', è Natale».

«Non sappiamo nemmeno cosa ne sarà di quella ragazza».

«È Natale, ispettore».

«Sì, questo l'ha già detto, e allora?».

«Forse dovremmo fare uno sforzo per pensare che fra quei due tutto finirà bene».

Cercai strenuamente di fare lo sforzo che Garzón mi chiedeva, ma non sapevo di che tipo di sforzo si trattasse. Dovevo sforzarmi di non vedere la realtà? Dovevo ricordarmi dei tempi – quei tempi ci saranno pur stati – in cui credevo ancora che tutto finisse bene? No, l'unico sforzo che potevo fare era quello di non pensare. Senza pensare si può tirare avanti per molto tempo; e non pensare a Natale può rivelarsi prezioso per superare la stupidità delle feste.

«Ce la facciamo un'ultima bevuta io e lei, ispettore?».

«Ma è matto, Fermín? È tardissimo».

«Ha ragione. Lei ha il pranzo con la famiglia, domani?».

«Certo! E lei?».

«Anch'io».

Si avvertiva un'alta percentuale di rassegnazione nella sua risposta. Decisi di non risparmiargli una punzecchiatura.

«È Natale, Garzón! Non dovrebbe essere tutto meraviglioso?».

«Guardi, se devo essere sincero, non so più cosa pensare. Quand'ero vedovo e passavo le feste solo come un'ostrica, mi sentivo malissimo. E adesso che sono felicemente sposato dovrei essere contento, invece…».

«Ma perché?».

«Mia moglie le prende troppo sul serio queste cose. Bisogna fare gli addobbi, mettere le palline all'albero, andare a comprare un mucchio di cose da mangiare, passare ore in cucina, invitare gente… Una faticaccia, mi creda! E per cosa poi? Per una festa in cui nessuno dei due crede veramente».

«Be', queste sono le cose che danno calore a una casa. E poi se a Beatriz diverte fare i preparativi... già questa è una buona ragione per stare al gioco, no?».

«Ed è per questo che lo faccio! Cosa non si farebbe per amore, vero ispettore?».

«Vero».

Mentre tornavo a casa pensando a cosa non avrei fatto per amore, di cose me ne vennero in mente parecchie. Non avrei ammazzato nessuno, per esempio. Non mi sarei lasciata umiliare come il povero Sergio, per esempio. E nemmeno manipolare come Sandra. No, l'amore non giustifica tutto, certo che no. Speravo di non sentirmi in colpa per quelle puntualizzazioni quando mi sarei distesa accanto a Marcos.

Era profondamente addormentato quando arrivai. In tutta la casa aleggiava ancora un soave aroma di tacchino tartufato. Mi infilai nel letto facendo pianissimo, ma mio marito mi parlò dal dormiveglia.

«Petra, sei qui? È andato tutto bene?».

«Tutto bene, Marcos, dormi».

Lo baciai sulla fronte e mi voltai su un fianco. Lui parlò di nuovo.

«Petra».

«Dimmi».

«Buon Natale».

«Buon Natale, Marcos».

Ero così stanca che la frase che avevo appena pronunciato mi parve addirittura avere un senso.

Vinarós, estate 2011

Vero amore

Vero amore

Prendere le ferie nel mese d'agosto mi è sempre parsa una decisione sbagliata. Potrei citare mille argomenti a sostegno di questa mia affermazione, e tutti suonerebbero altamente ragionevoli e comprensibili. È noto che è assai più costoso viaggiare o prendere in affitto un appartamento nella cosiddetta «alta stagione», che è più difficile trovare un tavolo libero al ristorante, e che qualunque attività turistica o riposante, dalla visita a un museo a una semplice passeggiata in un parco finisce per trasformarsi inevitabilmente in un supplizio. Tuttavia, se analizzo le mie ragioni più profonde, mi accorgo che per me il vero punto della questione è un pregiudizio puramente snob: trovo che andare in vacanza quando ci vanno tutti sia di una cafoneria imperdonabile. Nessun essere umano dotato di un minimo di sensibilità fa le valigie o smette di lavorare nel fastidiosissimo mese di agosto.

Ovviamente, il mio gentile sottoposto e collega Fermín Garzón non è della stessa opinione. Per lui tuffarsi nell'acqua caldiccia di una spiaggia piena zeppa di bagnanti è una cosa perfettamente naturale. Lui è come un monaco buddista, riesce a dimenticarsi di qualunque cosa lo circondi per godersi in santa pace la sua serenità interiore. Ma per fortuna ha sposato una signora per niente tibetana e amante della cultura come me, e così anche lei ha fatto di tutto per convincerlo che prendere le ferie in agosto è una caduta di tono imperdonabile, oltre che un colpo basso al sistema nervoso. Ne consegue che entrambi ce ne restiamo a Barcellona quando tutti se ne vanno. Questo ci garantisce forse qualche sollievo nel nostro lavoro? Be', tradizionalmente si dice che l'estate, con la sua sinistra canicola mediterranea, umida e opprimente, può aumentare il tasso di violenza in una città come la nostra, eppure non è sempre così. A contribuire al moltiplicarsi dei comportamenti delittuosi è il numero esorbitante di turisti che si riversa dalle nostre parti, più che le condizioni meteorologiche in sé. Per fortuna i problemi con gli stranieri di passaggio sono, in genere, facilmente risolvibili, poco più che faccende di ordinaria amministrazione. Ma il brutto di prestare servizio in agosto è che non ci si libera mai degli inconvenienti legati alle vacanze. I bar e i locali del centro sono pieni da scoppiare, le vie sono affollate e ovunque si guardi è impossibile sottrarsi alla miserevole contemplazione della bruttezza umana. Questo vale anche per chi non frequenta le spiagge, basta passeggiare per le Ramblas e la retina rabbrividisce dell'umiliazione alla vista di europei dalle pance sferiche insaccati in orribili magliette, orientali con cappellini ridicoli e mascherine antismog, americani dalla pelle lattiginosa resa paonazza dal sole.

«Ma perché sono così brutti, Garzón?» fu la retorica domanda che rivolsi al mio povero collega mentre rientravamo in commissariato dopo una torrida pausa pranzo.

«È la natura, ispettore. A volte le cose le riescono bene, a volte no».

«La natura non c'entra niente. Sono loro che mettono i bermuda con i calzettoni, che abbinano i fiori con le strisce, i quadretti con i pois! Sono loro che espongono alla vista le loro trippe con quelle canottiere aderenti, e il loro biancore da pesci lessi scoprendo braccia e gambe! Tanta bruttezza mi offende, non posso farci niente».

Il viceispettore mi ascoltava con scarsa partecipazione, dando di tanto in tanto un'alzata di spalle, convinto che le mie lamentazioni non fossero ragionevoli, né efficaci né logiche, e che rientrassero probabilmente nei sintomi di un incipiente disturbo da stress.

E devo ammettere che la mia scontentezza mi apparve in tutta la sua superficialità e irrilevanza non appena varcammo la porta del commissariato. Lì ci aspettava qualcosa che lo stesso commissario Coronas definì come una tragedia.

«Sapete chi è Ángel Carreras?».

Alla lontana quel nome mi diceva qualcosa, ma il mio assistente Fermín lo collocò all'istante nella casella giusta.

«Certo, commissario, Carreras è quell'ispettore bravissimo che ha preso servizio qui a Barcellona tre anni fa, se non sbaglio. Un collega molto stimato. Dicono che abbia risolto tutti i casi che gli sono stati affidati».

«Infatti, è un ottimo poliziotto. Ebbene, ieri sera è andato a cena fuori con sua moglie, rientrando a casa l'ha lasciata sulla porta per mettere la macchina in garage e cinque minuti dopo l'ha trovata morta. Un colpo di pistola alla nuca».

«Non ci credo!» esalò il mio collega.

«Be', ci creda, invece. Adesso è ricoverato in stato di shock, ha avuto un forte attacco d'ansia ed è stato sedato».

«Santo Dio benedetto!» stavolta Garzón aveva scelto un tono da parrocchia. Io cercai di andare al sodo.

«E questo ha qualcosa a che fare con noi, commissario? Professionalmente, voglio dire. A parte che ci dispiace moltissimo per la disgrazia capitata al collega».

«Avrei pensato di affidarvi le indagini».

«Ma allora, commissario, perché ce lo dice soltanto adesso, se il fatto è avvenuto ieri notte?».

Lui si agitò visibilmente sulla poltrona. Poi mise mano a una caffettiera che aveva sul tavolo e, senza chiedere il nostro parere, ci servì là per là due caffè.

«Cercate di capire, signori, la discrezione è sempre un valore fondamentale in polizia, ma quando un delitto viene commesso nel nostro ambiente, allora diventa una regola che non si può violare».

Visto che era difficile aprirsi un varco nella nebbia delle sue parole, ci accontentammo di sorbire il nostro caffè con aria ebete per dargli il tempo di spiegarsi meglio.

«Dei primi sopralluoghi si è occupato il reparto Affari Interni».

«E perché?» domandai senza nessuna pietà, neanche il mio superiore fosse un interrogato che mi stava nascondendo informazioni utili.

«Secondo l'esperto balistico, il proiettile che ha ucciso la signora Carmen Madueño, così si chiamava la moglie di Carreras, proviene da una pistola d'epoca, probabilmente un oggetto d'antiquariato».

«Certo, è l'ultima moda andare in giro a far fuori la gente con la pistola del nonno» commentò il viceispettore serafico.

Mi strofinai la faccia più volte, sperando che il mio gesto fosse interpretato come segno di massima perplessità. Ma visto che il commissario sembrava uno spettatore incapace di comprendere il mio codice gestuale, mi vidi costretta a dar voce al mio sentimento:

«Mi scusi, sarà colpa del caldo di agosto, ma le assicuro che anche sforzandomi non riesco a capirci niente».

«Nemmeno io, in realtà» si associò Garzón sottovoce.

Il nostro capo non era affatto tranquillo, al punto che stavolta fu lui a ricorrere a una gesticolazione esagerata. Ficcandosi le mani nei capelli come per farsi uno shampoo, esplose:

«E va bene, non è colpa vostra se non capite! Il caldo non c'entra un tubo! Sono io che mi sento terribilmente in imbarazzo per quello che devo dirvi. Ma visto che non posso fare altrimenti, allora vado: signori, mi duole informarvi che l'ispettore Carreras colleziona armi antiche. Un hobby ridicolo, ma le cose purtroppo stanno così».

Nell'ufficio dilagò un silenzio denso. Il piatto che si stava cucinando per noi era davvero poco appetitoso. Coronas, serio e irritato, aggiunse:

«E come se questa sfortunata coincidenza non fosse già abbastanza, l'ispettore Recua, amico e collega, è venuto a dirmi che negli ultimi tempi il matrimonio di Carreras non stava andando benissimo».

«La gente imparasse a farsi gli affari suoi!» esclamò Garzón in uno slancio di sincerità.

Il commissario saltò su come un gatto davanti a un nemico mortale. Con i capelli dritti e gli occhi accesi di elettricità, scoprì i denti e sibilò:

«È proprio quello che voglio evitare, Garzón: il corporativismo, la connivenza, l'omertà. Nessuno deve poter dire che pecchiamo di lassismo quando a essere sospettato di omicidio è uno di noi, ha capito? Nessuno! Ci sono qua io per impedirlo! Con questo non voglio dire che Carreras abbia ammazzato sua moglie, Dio me ne scampi. Ma voglio che le indagini vengano condotte tenendo conto di questa possibilità. Per questo ho scelto voi. Che io sappia, lo conoscete molto poco, quasi niente, quindi per voi sarà come occuparvi di una persona qualsiasi. D'accordo?».

Chinammo entrambi la testa in segno affermativo. Coronas riprese fiato e un aspetto meno felino per concludere:

«Ecco, signori, adesso vi siete fatti un'idea della faccenda. Mettetevi al lavoro, con discrezione. Dato che Carreras abita in una casetta isolata fuori città, non ci sono testimoni tra i vicini. Ma per darvi un aiuto in più, vi affiancherò l'agente che in genere assiste Carreras, Juanjo Revilla. È molto giovane ma sembra un bravo ragazzo. Non coinvolgetelo emotivamente nelle indagini, ma servitevi di quello che ha da dirvi. Lui è la persona che ultimamente passava più tempo con Carreras».

Ci sedemmo nel mio ufficio con le poche carte che Coronas ci aveva lasciato. Io sfogliavo il dossier senza grande entusiasmo, Garzón sudava. Non parlavamo. In quel silenzio, col mio fine orecchio, sentivo il ronzio del condizionatore. Il mio collega tirò fuori un fazzoletto e si asciugò la faccia. Per mettere fine a quel silenzio che non denotava altro che il vuoto, riassunsi qualche dato:

«Dall'autopsia eseguita d'urgenza non viene fuori nulla. Uno sparo a bruciapelo, la vittima è crollata lì dov'era. Morta sul colpo».

Il mio collega emetteva grugniti di affaticamento. All'improvviso mi resi conto che se non c'erano testimoni, né un movente, né rivelazioni particolari del medico legale (che la signora, per esempio, fosse tossicodipendente o qualcosa del genere), e se non comparivano altri indiziati oltre Carreras... che razza di indagine avremmo dovuto fare? Coronas ci aveva affidato il banale smascheramento di un colpevole già designato. In qualsiasi altra circostanza, sarebbe stato facile come bere un bicchier d'acqua. Trattandosi di un collega, era come ingollare due dita di veleno.

In questi casi il metodo per arrivare alla verità è uno solo: mettere sotto torchio il principale indiziato fino a farlo confessare per crollo fisico, morale o psicologico. Ecco la bella incombenza che ci aveva scaricato Coronas. Guardai il mio collega. Nessun cambiamento, grugniva debolmente e si asciugava il sudore. Cominciò a darmi sui nervi.

«E lei, Fermín, oltre a imitare il vecchio Louis Armstrong in televisione, non ha niente da dire?».

«Se vuole posso cantarle *Hello Dolly* per creare un po' d'atmosfera, ma l'avverto che non sono dell'umore. Siamo finiti in una schifosissima trappola del commissario, e di tutte le cose odiose che preferirei non dover fare nel mese d'agosto, la peggiore è occuparmi di questa storia».

«Su questo siamo d'accordo. Ciò non toglie che bisognerà fare un sopralluogo in casa di Carreras».

«Il giudice ha detto che finché non lo dimettono e non ci dà le chiavi lui stesso, è meglio se lasciamo tutto com'è. Non sono riusciti nemmeno a interrogarlo...».

«Lei sa se ha figli?».

«Credo di no. Ma non ci metteranno molto a buttarlo fuori dall'ospedale, vedrà. Lo riempiranno di farmaci e via. Spero solo che non ce lo rincoglioniscano del tutto. È sempre così con i parenti delle vittime: all'inizio, tante belle chiacchiere con lo psicologo, e poi sistemano tutto a colpi di pastiglie. Secondo me domattina potremo già parlargli».

«Mandi un agente in reparto, Fermín. Preferisco che non vada a casa prima che possiamo interrogarlo».

«Per la questione dell'arma? Potrebbe avere avuto il tempo di entrare, pulire la pistola e rimetterla dove la teneva insieme al resto della collezione».

«Ma un esperto balistico lo capisce lo stesso se un'arma ha sparato o no».

«Non sono mica sicuro, ispettore».

«Comunque, mettiamogli uno sbirro sulla porta della stanza. Se non altro avrà il suo peso psicologico».

«Che merda di lavoro, ispettore».

«Giusta riflessione, espressa in modo semplice e conciso, caro collega».

Nell'attesa che Carreras fosse in grado di affrontare la dura realtà e ci desse modo di entrare nel vivo delle indagini, andammo a trovare Juanjo, il suo giovane assistente.

Nemmeno trent'anni, jeans col cavallo sceso, maglietta con scritte in inglese e capelli a spazzola, il ragazzo si presentava come un luogo comune vivente. Era costernato, o almeno così ci era dato capire dalle sue parole smozzicate, piene di frasi fatte, turpiloquio ed espressioni gergali.

«Cazzo, ispettore, che botta, povero Carreras. Non basta che gli sparano alla moglie, adesso gli danno addosso! Era il minimo che uscisse di testa, no? Quando l'ho saputo, la prima cosa che ho chiesto è se avevano preso qualcosa nella borsa di sua moglie. Zero, aveva tutto. Chissà come cazzo è che quello stronzo l'ha fatta fuori».

Nella sua pochezza parlava con convinzione, non gli era neppure venuto in mente che il colpevole potesse essere il suo capo. Era così ingenuo e volenteroso che mi fece pena. Garzón andò per le spicce:

«E tu non pensi che l'ispettore possa avere qualcosa a che fare con la morte di sua moglie, vero?».

Lui lo guardò come si guarda un matto o un blasfemo:

«Ma che dice? Sta scherzando? L'ispettore è un grande, ce ne fossero come lui. Allora è proprio vero quel che m'immaginavo: non solo gli buttano la colpa addosso, se ne fottono di andare a cercare chi ha ficcato un colpo in testa a sua moglie».

«Senti, ragazzo, non te l'hanno insegnato alla scuola di polizia che non si scarta mai nessuna ipotesi finché non ci sono delle prove?».

«Ma questa è un'ipotesi del cazzo, viceispettore! Sono tre anni che lavoro con lui e se non lo so io!».

«Puoi smetterla di usare questo linguaggio con un tuo superiore? Non solo non hai imparato niente di come si fa un'indagine, ma non sai neanche come comportarti».

Il ragazzo lo guardò con aria evidentemente disgustata, incassò la testa tra le spalle e non chiese scusa. Prima che Garzón perdesse definitivamente la calma, intervenni con un nuovo argomento.

«Tu sapevi che l'ispettore Carreras colleziona armi antiche?».

«E come no? Ci sono stato un mucchio di volte a casa sua. Ha una collezione che deve valere una cifra! La tiene in una vetrina, proprio in sala. Lui ha sempre avuto questa passione di collezionare le armi, me l'ha detto lui. Uno sfizio che si può permettere. Tanto, lui non ha figli, e dei soldi ne fa quel che gli pare».

«Ti ha mai detto se ultimamente aveva dei problemi, se era preoccupato per qualcosa?».

«Be', capita a tutti di prendere dei pali di tanto in

tanto! Ma a lui le cose giravano benissimo, finché non è scoppiata questa merda».

Mi accorsi che Garzón ricominciava a bollire. Era questione di secondi e gli sarebbe saltato addosso. Preferii dire al ragazzo che ci saremmo rivisti più tardi e congedarlo con un paio di colpetti sulla spalla. Se ne andò trascinando i piedi in modo scarsamente marziale. Proprio come mi aspettavo, il viceispettore, sfumata la sua preda, si gettò su di me:

«Io non la capisco, Petra. Abbiamo qui un decerebrato di quelli che di solito la mandano al manicomio e poco ci mancava che lei gli desse il bacetto e gli comprasse le caramelle».

«Ci tengo a ottenere da lui tutte le informazioni che posso».

«Illusa. Quello è talmente affezionato al suo capo che se sa qualcosa lo tiene per sé».

«A me non dispiace che sia affezionato al suo capo. Questo gli fa onore. E poi non mi dispiace quella sua frase che "capita a tutti di prendere dei pali". Secondo me sa qualcosa sulla vita di Carreras che finirà per raccontarci. Purché lei non sia presente, ovvio. Col suo atteggiamento è riuscito solo a chiudergli la bocca».

«Ma che vada al diavolo! Lo preferisco con la bocca chiusa, se devo sentirlo esprimersi a quel modo!».

«Non si arrabbi, Garzón, fa troppo caldo per prendersela così. Comunque per oggi credo possa bastare. È meglio se ce ne andiamo a prendere il fresco».

Eravamo tutti e due soli soletti. Mio marito aveva portato i suoi figli in montagna per una settimana, e la moglie di Garzón era da sua sorella a Maiorca. Spesso cenavamo insieme io e lui nei dintorni del commissariato e poi ce ne scappavamo a casa presto.

«Stasera le va di prepararsi la cena, Fermín?».

«Neanche un po'. Fa così caldo che quando mi è caduta la biro per terra, ne ho presa un'altra pur di non fare la fatica di raccoglierla. Meglio se mangiamo un boccone all'aperto».

Camminammo giù per le Ramblas verso il mare. Erano le otto di sera e sembrava che tutti si fossero messi d'accordo per uscire. Eppure la folla era composta in maggioranza da turisti stranieri. Impossibile classificarli, erano assolutamente eterogenei. Studenti a gruppi, giovani coppie, vecchi coniugi... tutti vestiti come se seguissero i consigli del loro peggior nemico, alcuni addirittura in tenuta da spiaggia. Ogni tanto spiccava qualche raro esempio di distinzione. Un signore in un abito chiaro dall'eleganza d'altri tempi scendeva da un taxi per entrare in un ristorante di gran classe. Ma in genere i pochi spagnoli in circolazione erano barcellonesi sfavoriti dalla fortuna che non avevano potuto lasciare la città. Mi sembrava tutto così assurdo: quelli di fuori volevano venire qui, e la gente di qui faceva il possibile per andarsene fuori. Eravamo riusciti a mettere insieme un mondo così bislacco che sarebbe potuto saltare in aria da un momento all'altro, per effetto delle proprie contraddizioni.

Arrivammo nella zona del porto e occupammo un tavolino davanti a un bar meno affollato degli altri. Ma l'aspetto untuoso delle *tapas* che venivano servite intorno a noi ci fece cambiare idea, e così ci alzammo e continuammo a camminare fino alla Barceloneta. Lì, in quel borgo di pescatori che ancora conserva qualcosa della sua atmosfera tradizionale, non fu difficile trovare uno dei tanti ristorantini che avevano messo i tavoli in strada. L'alluvione di viaggiatori era meno intensa da quelle parti, ma se ne vedevano anche lì, felici come bambini della cucina saporita e del buon vino, della notte tiepida e della brezza del mare. Chi poteva rimproverarglielo, in fondo, se molti di loro avevano passato tutto l'anno senza vedere mai il sole? Ah, pensai, in questo paese abbandonato da Dio ci rimane almeno il semplice piacere di prendere il sole di giorno e il fresco di sera. Ma arrivare a pensare questo come unica risorsa filosofica era una ben magra consolazione, davvero.

Il giorno dopo Carreras ricevette il foglio di dimissioni firmato dallo psichiatra e si mise finalmente in moto la macchina della giustizia, se così potevamo chiamarla. L'agente che lo piantonava lo accompagnò in commissariato. Naturalmente lui chiese se fosse agli arresti e gli fu detto di no.

Quando lo vidi capii che lo avevo già incontrato in altre occasioni e che il suo aspetto non mi aveva mai colpito in modo particolare. Era un uomo normale, sui cinquant'anni molto ben portati, con una faccia anonima e, in quel frangente, un'espressione di estrema sofferenza. Pallido, tirato, con gli occhi gonfi dal gran piangere, se ne stava con le spalle spioventi, come uno straccio appeso a un gancio.

Le previsioni di Garzón si rivelarono esatte: era evidente in lui il rallentamento dei gesti e della voce caratteristico di chi è sottoposto a una terapia di psicofarmaci.

Mentre ci dirigevamo in auto verso casa sua, non disse una parola. Guardava dal finestrino senza interesse, con aria spenta, forse senza mettere neppure a fuoco ciò che vedeva. Temetti che avesse una reazione emotiva incontrollata una volta sceso dall'auto, ma non fu così. Anzi, serio e professionale si avviò deciso verso quella che era stata la scena del crimine e ci indicò il punto esatto in cui aveva trovato sua moglie, ormai senza vita.

«È stato qui. La posizione del corpo la conoscete. Avete visto le foto».

Si comportava come se le indagini fossero state affidate a lui. Aprì la porta con movimenti decisi e accese la luce. Un soggiorno spazioso e ordinato si dispiegò davanti ai nostri occhi, con tutti i tipici orpelli piccolo-borghesi.

«I colleghi hanno fatto il giro della casa, e dall'esterno non pare ci sia nessuna finestra forzata» lo informò Garzón.

Il mio sguardo si spostò lungo le pareti. In una rientranza, messa in luce dall'ampia vetrata, c'era la vetrina delle armi. Avvicinandomi potei apprezzare l'esposizione di pistole e revolver: pezzi che andavano da fine Ottocento alla metà del Novecento. C'era anche qualche fucile che aveva tutta l'aria di essere stato usato durante la Guerra Civile.

«Non toccate niente» ordinai. «Più tardi verranno a prendere le impronte».

Ispezionammo la camera da letto, le camere degli ospiti, la lavanderia, il garage. Quando entrammo in cucina, Carreras ebbe un cedimento. Portò una mano agli occhi e li premette con le dita. Stava cercando di fermare il pianto. Sul piano di lavoro c'era una tazza rimasta a metà.

«Non ha fatto neppure in tempo a finire il suo tè. L'ho costretta a uscire di corsa, avevo prenotato un tavolo per le nove».

Tornammo nel soggiorno. Ci sedemmo, sempre senza toccare nulla.

«E il vostro matrimonio come andava? Andavate d'accordo? Scusami, sai perfettamente che sono tenuta a chiederti queste cose» dissi.

«Certo, lo so. Il nostro matrimonio andava bene. Avevamo avuto qualche crisi, come tutti, ma eravamo molto uniti. Direi che negli ultimi anni lo eravamo anche di più».

«Ascoltami, Ángel. Non so fino a che punto tu sia informato di quello che abbiamo scoperto. Il fatto è che i proiettili che hanno ucciso tua moglie sono di un tipo molto particolare, ed è probabile che siano stati sparati con una pistola d'epoca».

Mi chiese subito di che calibro fossero, e quando gli dissi che erano dei 6,65 millimetri, lo vidi concentrarsi come cercando di ricordare qualcosa.

«Io una pistola che carica quel tipo di munizioni ce l'ho. Una Mauser modello 1934, un'arma bellissima».

Si alzò come un razzo e si avvicinò alla vetrina che conteneva la collezione. Si chinò e ci indicò una pistola piuttosto piccola, di forma squadrata, nella quale non riuscii a scorgere nessuna forma di bellezza.

«È quella. Vedete?».

«Non sembra essersi mossa dal suo posto» osservò il viceispettore.

«Chiama gli esperti balistici, Petra. Devono verificare se è stata usata».

«Ma come può essere stata usata se nessuno è entrato in casa tua, Carreras?».

«Non lo so, Petra, io non so niente. Quello che posso assicurarvi è che non sono stato io ad ammazzare Carmen. Non l'ho fatto. Chiamo Dio a testimone».

Uscimmo e rifacemmo il giro di tutte le finestre. Garzón si accorse che nella porta della cucina, che dava su un giardinetto posteriore, si apriva uno sportello basso quasi rasoterra.

«È una gattaiola?».

«Sì. In realtà noi la usavamo per il cane. Avevamo un carlino. Ormai è morto, eppure mia moglie non ha voluto chiuderla, pensava di comprarne un altro. Ma un carlino è un cane piccolo, Petra. Come vuoi che di lì possa passarci qualcuno?».

Decisi che era ora di andare. Prima però guardai Carreras.

«Qui non puoi restare, naturalmente. La casa verrà messa sotto sigilli».

«Mi ospiterà mia sorella finché... Insomma, finché non arriverà l'ordine d'arresto, non è così? So che tutti gli elementi sono contro di me, Petra, ma non sono stato io. Io sono un poliziotto. Come potrei essere stato così stupido da lasciare un biglietto da visita del genere?».

«Hai qualche nemico, qualcuno che ti odi di un odio velenoso?».

«Noi poliziotti abbiamo tutti dei nemici, lo sai, Petra. Abbiamo mandato in galera un mucchio di gente. È da quella parte che devi cercare l'assassino di Carmen. Qualcuno capace di tendermi una trappola dalla quale non potessi più tirarmi fuori».

Tornando a casa pensai che quell'uomo dava già per scontati gli esiti peggiori di qualcosa che doveva ancora avvenire. Eppure il rilevamento delle impronte non produsse alcun risultato. Né sui mobili, né sulle maniglie, né sugli oggetti di casa furono trovate tracce che non fossero di Carreras o di sua moglie. Ma l'elemento più importante, la prova innegabile, fu che lo sparo che aveva ucciso Carmen Madueño era uscito dalla Mauser 1934 esposta nella vetrina del soggiorno. Qualcuno l'aveva tirata fuori, aveva sparato sulla donna, aveva ripulito sommariamente l'arma e l'aveva rimessa al suo posto. Nessuno tranne l'ispettore poteva aver fatto una cosa simile. Non c'erano porte né finestre forzate.

«Io non ci capisco un cavolo!» bofonchiava Garzón succhiando un'*orchata* con la cannuccia mentre si faceva aria col giornale. «Un poliziotto bravo come lui, e un delitto così cretino. Qualcosa l'avrà pure imparato con tutti i criminali che ha messo dentro. E invece no, si frega con le sue mani usando un'arma della sua collezione. Tanto valeva appendersi un cartello al collo con su scritto: "Ecco il colpevole". Questa ha tutta l'aria di essere una trappola».

«Sì, ma a meno che non sia stato un folletto... O chissà, magari Carreras ha avuto un raptus di follia passeggera».

«Che cosa vuole che le dica, ispettore! Proprio in agosto doveva capitarci questa storia. Col caldo che fa non riesco a mettere due pensieri in fila! Ho i neuroni bolliti, porcaccia la miseria».

«Bisogna lavorarci su. Un omicidio senza movente non ha senso. Cerchiamo il movente».

«Ho parlato con il collega che blaterava sulle difficoltà di Carreras con la moglie. Che pezzo d'idiota! Un bel niente, sapeva. Mi ha detto che un paio d'anni fa quei due erano in crisi, che non avevano figli, che senza figli una coppia non si sente riuscita... Pensi un po', come se i figli c'entrassero qualcosa con l'amore. C'è gente che è più antiquata delle tessere annonarie!».

Se le prove materiali sembravano dimostrare che Carreras e solo Carreras poteva aver ucciso sua moglie, rimaneva da verificare quali motivi avesse per farlo. Affidai al viceispettore il compito di verificare gli aspetti economici. Eventuali debiti, movimenti sul conto corrente e, ovviamente, il testamento della moglie. Io invece avrei tentato di individuare eventuali motivi passionali. Solo il cuore poteva essere stato un consigliere così funesto per quell'uomo tanto per bene. Andai a cercare Juanjo Revilla e lo trovai senza difficoltà. Se ne stava seduto con una faccia addolorata e perplessa, in apparenza senza niente da fare. Gli sorrisi.

«Come va, ragazzo?».

«Di merda, ispettore. Davvero lei crede che un tipo come Ángel abbia sparato a sua moglie con una pistola che possono riconoscere tutti, e poi sia andato a rimetterla nella vetrina? Ma è una cazzata grossa come una casa!».

«A te viene in mente un'altra spiegazione logica?».

«No, e le assicuro che da quando è successo non ho mai smesso di spremermi il cervello».

Alzò le spalle e le lasciò ricadere con un sospiro. Portava una maglietta con su scritto: «I'm the best». Tentai un sorriso che potesse sembrare materno.

«Senti, Juanjo, secondo me la cosa migliore è dare tempo al tempo. Se Carreras non è colpevole, scopriremo chi è stato, vedrai. A che ora smonti?».

«Ho finito da un pezzo, ma se me ne vado a casa mi viene solo la depressione. Qui non combino niente, ma almeno mi sembra di non staccare, capisce?».

«Capisco benissimo. Sai che facciamo? Qui di fianco c'è un bar, un posto dove si sta tranquilli. Magari lo conosci già. Ti offro una cosa, ci facciamo due chiacchiere e ci rilassiamo. Anch'io sono un po' scossa da questa storia».

Lo portai in un bar elegante, dove di sicuro un ragazzo come lui non sarebbe mai entrato di propria iniziativa. L'aria condizionata era al massimo e l'ambiente era rasserenato da un tranquillo sottofondo musicale. Lui, poveretto, guardava da tutte le parti sentendosi improvvisamente in soggezione.

«Accidenti, ispettore, che classe!».

«Quando si fa una cosa, è meglio farla bene. E poi non è il caso di infilarsi alla Jarra de Oro con questo caldo».

Ordinammo due gin tonic. Per fortuna non era astemio. Il primo sorso dissipò la lieve sensazione di disagio che provavamo entrambi nel trovarci insieme in un posto come quello. L'odore della fettina di limone mescolato all'aroma del gin era in grado già di per sé di rinfrescare il corpo e la mente. Eppure quel che più affascinava il mio giovane amico sembrava essere il grande bicchiere a balloon, di forma quasi sferica, in cui c'era stato servito il cocktail.

«Cazzo, ispettore, figo questo bicchiere, sembra una palla!».

Definitivamente, era rozzo, poco esperto di mondo, e anche un po' scemotto. Stentavo a capire come facesse a sopportarlo Carreras, che ci passava intere giornate. Ma questo non mi aiutava a capire come entrare in confidenza con lui. Meglio usare il registro materno o il fascino della donna matura? Lui stesso mi avrebbe indicato la via. Si trattava di aspettare che l'alcol lo facesse propendere per l'una o per l'altra opzione. Cos'era, un bambino spaventato o un giovane galletto pronto a gettarsi sulla preda? O tutte e due le cose insieme, come in fondo lo sono tutti i ragazzi? Scoccai la prima freccia avvelenata:

«Povero Ángel! Capisci, anche se le indagini alla fine lo scagioneranno, sua moglie non la riavrà mai più. E alla sua età non è facile trovare un'altra donna da amare veramente. Tu sei sposato, Juanjo?».

«Figuriamoci. Non ho neanche la ragazza!».

«Come, un tipo carino come te?».

«Non ce n'è una che mi vuole. È che voi donne siete così strane che è bravo chi vi capisce».

Continuò la sua requisitoria antifemminile con una serie di ragionamenti ed esempi generici che non portavano a nulla.

«E con Carreras parlavate di donne?».

«Certo. Anche di calcio, di tutto!».

«E lui ti dava consigli?».

«Ogni tanto. Solo che a volte era scocciato e non aveva voglia di stressarsi con certe storie».

«Scocciato? Credevo ti consigliasse di trovarti una ragazza».

«Ispettore, ce lo facciamo un altro di questi? È che non sono tanto preso bene, sa? E poi ho sete. Offro io stavolta».

Nell'attesa del secondo giro feci di tutto perché il discorso non si allontanasse dal tema amoroso. Ma non era facile, la sua mente era dispersiva di per sé, e poi non riusciva o non voleva entrare in argomento. Non sembrava gli andasse troppo a genio il ruolo del figlio, e nemmeno quello del seduttore. Lo affrontai direttamente:

«Dimmi la verità. Carreras aveva qualche storia fuori dal matrimonio?».

«Se usciva con qualche tipa, vuol dire? Macché! L'ho capito dove vuole arrivare ispettore, non creda. Ma le dico subito che si sbaglia. Ángel avrà anche avuto dei casini con sua moglie, ma erano sposati da vent'anni, che cazzo! C'era stato anche un periodo che avevano pensato di separarsi. Ma poi tutto è rientrato e ultimamente stavano benissimo. Meglio di prima, me l'aveva detto lui. E guardi, ispettore, che se non fosse così non avrei nessun problema a dirglielo. Sono un poliziotto anch'io e lo so cos'è la legge».

«Però...».

«Non ci sono però, glielo giuro. E se avesse voluto liberarsi di Carmen, Ángel non l'avrebbe ammazzata, non è proprio il tipo».

Tentativo andato a buca, pensai. E valutai quanto gin tonic gli rimanesse nel bicchiere. Non potendo alzarmi e andarmene senza aspettare che avesse finito, mi armai di pazienza e rimasi ad ascoltarlo. Avevo perso interesse per quello che aveva da dire, eppure sembrava che proprio allora gli si fosse sciolta la lingua, che cominciò a trottare come una puledra.

«Ángel non ammazzerebbe una mosca! Una zanzara, sì, magari le darebbe una ciabattata, ma le donne... Le donne lui le mette sul piedestallo. Pensi che quando mi sono preso un palo, e che palo, ispettore, lui per tutto il tempo si è messo dalla parte della tipa. E dire che non se lo meritava, quella stronza. Guardi, le racconto come è andata perché è una storia che merita».

«Non importa, ci credo».

«No, ispettore, glielo racconto, così vede che magari ai suoi tempi non era così, ma che adesso ci sono in giro certe donne che sono capaci di tutto».

Lo guardai con odio. «Ai suoi tempi»... E io che avevo concepito l'idea che mi vedesse come un'inarrivabile preda... Bevvi un lungo sorso per reggere una storia di cui già intravedevo il bassissimo profilo.

«È stato quest'inverno, poco dopo Natale, io ero da solo in un bar a farmi un panino dopo il turno, e capita lì una. Un po' più grande di me, ma non tanto. Molto carina, bel fisico e tutto, non creda. Una tipa diretta, che si avvicina e mi fa: "Non è che ci conosciamo io e te?", la solita scusa. All'inizio mi son detto che magari era una zoccola, e invece no. Abbiamo chiacchierato, sembrava una tipa a posto, gentilissima, simpatica. Quella sera finiamo a casa mia, a letto, ovviamente. Da come si comportava era una brava tipa, lavorava da un parrucchiere. Non era di quelle che stanno in giro la notte, cameriere, bariste, storie che a me non piacciono. Per farla breve: ci son cascato come una pera. Io, che non avevo mai voluto storie serie per farmi la mia vita, divertirmi e non avere casini... ecco, non so come dire...».

«Ti sei innamorato» completai io, ormai rassegnata alle confidenze non richieste.

«Be', sì, come dice lei. Ci siamo appiccicati come la busta al francobollo. Non facevamo che scopare. E poi me la portavo in giro dappertutto, la presentavo a tutti. Non gliel'o avevo ancora chiesto ufficialmente, ma, pensi un po', cominciavo a farmi venire idee di matrimonio. Risultato: un paio di settimane fa, al cellulare, mi dice che è finita. Come, finita? Credevo scherzasse. E invece no. Volevo vederla, che me lo dicesse in faccia quella vigliacca. L'avrò chiamata cento volte. Sempre staccato. Vado a casa sua, dove mi aveva detto che stava, ma lì non c'era nessuna Magda Luque, magari non si chiamava neanche come mi aveva detto. Sparita dalla faccia della terra, ispettore. Mi aveva preso per il culo per tutto il tempo. Le sembro così fesso, ispettore?».

A quel punto, tra i fumi dell'alcol e della noia, rielaborai quel che mi aveva raccontato. Misi a fuoco il suo viso per la prima volta negli ultimi cinque minuti e domandai:

«Non eri mai stato a casa sua?».

«No. Diceva che aveva una compagna d'appartamento rompicoglioni che non le lasciava portare nessuno. Quando la accompagnavo a casa ci salutavamo sempre sul portone».

«E al negozio dove lavorava?».

«Lì una volta c'ero stato».

«E non sei andato a chiedere di lei?».

Abbassò gli occhi, sfuggendo il mio sguardo. Bofonchiò:

«Ci sono andato, ma mi aveva fregato anche lì. Aveva fatto solo la settimana di prova, e poi aveva mollato. Insomma, disastro su tutta la linea, ispettore. Da sclerare».

«E non hai chiesto se avevano il suo indirizzo? E il cellulare, non hai verificato a chi era intestata la scheda?».

«Per cosa? Cos'avrei ottenuto? Un'altra figura di merda? Ah, no, basta. Un po' di orgoglio ce l'ho anch'io, ispettore. Preferisco mollare il colpo prima di strisciare».

«Ma nessuno sparisce nel nulla senza un motivo».

«Avrà trovato un altro tipo, le piacerà prendere per il culo la gente, avrà scommesso che riusciva a farsi uno sbirro, sarà uscita fuori di testa, o magari voleva solo vendicarsi per qualche brutta storia... Che ne so! Non vedo perché devo scoprirlo io».

«Quindi lei sapeva che eri un poliziotto».

«E certo! L'avevo presentata a tutti! Volevo perfino farla conoscere ai miei. Meno male che stanno a Badajoz, perché se no, il macello era completo».

Finì il suo gin tonic con un deglutimento deciso e diede un colpo secco sul tavolo quando posò il bicchiere. Ci teneva a far la parte del duro che malgrado tutto è stato ingannato. Mi alzai e uscimmo. Il caldo ci investì con tutta la sua potenza, non mitigata da brezze marine né venticelli montani. Mi sentii come deve sentirsi un pezzo di cavolfiore gettato nell'acqua bollente. Avevo sonno, per giunta. Quindi appena arrivammo all'angolo mi congedai da lui con un colpetto sulla spalla, traducibile con un «dura la vita», e me la filai.

Arrivata a casa spensi l'aria condizionata e tenni le finestre chiuse. Poi, badando a evitare qualunque sforzo fisico o mentale, mi spogliai e mi gettai sul letto con l'intenzione di leggere un libro. Per un po' ci riuscii, ma poi la mia mente tornò sull'incontro di poco prima con l'agente Revilla e sui miei falliti tentativi di cavargli fuori qualcosa. No, lui non mi avrebbe mai rivelato nulla sulla vita sentimentale di Carreras. Primo, perché l'affetto e il rispetto che provava per il suo capo erano ancora maggiori di quanto avessi immaginato. Secondo, perché era troppo traumatizzato dal proprio fallimento personale con quella strana ragazza fuggiasca per pensare ad altro. Certo che a volte la vita sembra voler dimostrare l'esistenza del castigo divino. Un ragazzotto come Juanjo, che aveva disprezzato le donne al punto da non volersi legare con nessuna, finiva irretito da un'ingannatrice più spregiudicata di Don Giovanni. Bisognava rendergliene merito, alla dongiovannessa, se l'era lavorato bene. Ma era difficile pensare che lo avesse fatto per puro gusto della seduzione, come il suo modello di Siviglia. Un motivo doveva esserci se quella ragazza era sparita nel nulla. Forse Juanjo aveva piantato in asso qualche sua amica dopo averla sedotta? Era stato lo spirito di solidarietà femminile a spingerla a ordire un piano così lambiccato? E perché poi sparire dopo l'inganno? Perché dargli tutte quelle false informazioni che lo mandassero fuori pista? Forse perché, sapendo che era un poliziotto, la ragazza temeva di avere guai? Ma se era una vendetta, perché non gliel'aveva fatto sapere: «Te lo sei meritato, e che ti serva da lezione, per quello che hai fatto alla mia amica Tizia»? Forse ero io che non capivo i giovani d'oggi, non ero neppure in grado di dire se Juanjo mi avesse raccontato le cose come stavano o avesse abbellito la sua versione. Cercai di tornare al libro, ma non ci riuscii. Avevo gli occhi sbarrati, ormai il sonno se ne era andato. Spensi la luce, aprii la finestra e mi appoggiai al davanzale. Nell'aria pulsava, com'è tipico delle notti estive di Spagna, una musica lontana. In questo paese non manca mai una sagra da qualche parte, una festa patronale, una discoteca all'aperto o un party in terrazza. Il mese d'agosto sembra dare a ogni spagnolo licenza di fare esattamente quel che gli pare, pensai. Sparare musica a tutto volume fino all'alba, ubriacarsi, scappare col vicino... qualunque cosa! Come se il caldo mandasse in vacanza le leggi, i valori, i doveri, come se la vita civile venisse sospesa fino a nuovo ordine con l'approvazione implicita di tutti. All'improvviso, un bagliore di lontani fuochi artificiali illuminò una parte del cielo. Ancora tutta presa dalle mie rimostranze mentali mi accorsi che il mio piede destro seguiva il ritmo della musica. Al diavolo! Magari era un'idea sana non lavorare in agosto, non fare un bel niente, prendere il sole di giorno e il fresco la sera. Comunque, se volevo essere obiettiva dovevo riconoscere che non era stata la musica a togliermi il sonno, ma il pensiero che mi ossessionava. Mi rimbalzava in testa, come un'eco, la voce di Juanjo Revilla. Guardai l'orologio: le tre del mattino. Di sicuro stava dormendo. Eppure alla sua età non avrebbe fatto fatica a riaddormentarsi dopo una telefonata fuori orario. Io invece non sarei riuscita a chiudere occhio tutta la notte se non lo avessi chiamato, per quanto assurdo potesse sembrare.

«Juanjo? Sono Petra Delicado. Non allarmarti e scusami se ti disturbo a quest'ora, solo che...». Di colpo non trovai una sola buona ragione che potesse giustificarmi. «Devo farti una domanda su quello che mi hai raccontato quando eravamo al bar».

Dall'altra parte c'era solo silenzio.

«Juanjo, sei lì?».

Una voce arrochita e piena di sonno si decise a rispondermi:

«Certo che ci sono, ispettore. Però aspetti che mi tiri su, che non riesco a svegliarmi».

Sentii un rumore sordo. Doveva avere incespicato in qualcosa nel rimettersi in piedi. Anche se ero stata io a chiamare fuori orario, cominciai a spazientirmi.

«Juanjo?».

«Scusi, ho buttato giù la lampada dal comodino…».

«Juanjo, concentrati, per favore, perché quello che ti chiedo lo voglio sapere con certezza. Sei pronto? Qualche ora fa mi dicevi che quella ragazza di cui ti eri innamorato l'avevi presentata a tutti…».

Mi interruppe. Doveva essere ben sveglio, adesso.

«Non le ho detto che mi ero innamorato, ho detto solo che…».

Lo interruppi io:

«L'avevi presentata anche all'ispettore Carreras?».

«Sì, certo che gliel'ho presentata. Pensi, ci aveva anche invitati a cena a casa sua, poveraccio. Era sicuro che fosse la donna della mia vita, che l'avrei sposata e ci avrei fatto dei figli. Ancora una settimana fa mi diceva di non preoccuparmi, che sarebbe tornata, che dovevo solo aver pazienza e aspettare».

«Grazie. Torna pure a letto. Domani alle otto ti voglio nel mio ufficio».

Quella risposta confermava l'oggetto della mia ossessione. Misi giù, lasciai la finestra aperta e me ne tornai a letto. Presi sonno immediatamente, cullata dai vaghi suoni festosi della notte d'agosto.

Alle sette in punto stavo già chiamando Garzón. E

feci bene, perché per riassumergli le cose in modo da fargliele entrare in testa mi ci volle quasi mezz'ora. Quando riuscii a dargli un'idea della drammatica o forse ridicola storia della fidanzata perduta, venne la parte peggiore. Il mio collega cominciò a voler discutere i miei presentimenti.

«E secondo lei tutto questo avrebbe qualcosa a che fare con la nostra vita, ispettore?».

«Basta, Fermín! Lo sa benissimo che mi dà fastidio sprecare il fiato inutilmente. Venga in commissariato e vedrà».

Li trovai tutti e due ad aspettarmi come sposi impazienti. Ciascuno secondo il suo stile: Juanjo sembrava qualcuno che è stato trascinato all'altare con la forza, mentre Garzón era come un vedovo non troppo in vena di cacciarsi di nuovo nei guai. Li salutai e mi sedetti al posto di comando, dietro la scrivania. Mi sentivo bene con tutta la loro attenzione concentrata su di me. Ma appena aprii bocca sentii che mi mancava la sicurezza necessaria per fare lunghi discorsi. Preferii cominciare con una domanda diretta a Juanjo Revilla:

«Potresti precisare con esattezza quando è comparsa nella tua vita Magda Luque?».

Lui mi guardò attonito e poi guardò Garzón con aria imbarazzata. Quando i suoi occhi si posarono di nuovo sulla mia persona, vi lessi un chiaro rimprovero: «Come si permette di tirar fuori in pubblico una confidenza che le ho fatto in privato?».

«Non sentirti in difficoltà, Juanjo, il viceispettore non

è nato ieri, e la tua storia può essere importante per le indagini».

Lui si strofinò la testa irta di ciocche appuntite col gel e socchiuse un occhio, cosa che gli diede immediatamente un aspetto poco intelligente.

«Be', gliel'ho già detto, è stato otto mesi fa, più o meno dopo Natale. Me lo ricordo bene perché ho pensato che con le feste di merda che mi ero passato con i parenti, quello era come un regalo dei Re Magi. Che testa di cazzo!».

«I lamenti poetici lasciamoli per un altro momento. Adesso voglio che tu ti concentri, Juanjo, come se fossi a un esame. Riesci a ricordarti se in quel periodo, o magari un po' prima, tu e Carreras vi siete occupati di qualche caso importante? Non mi riferisco a qualcosa che abbia fatto molto scalpore, o che sia stato particolarmente difficile da risolvere, ma a un caso con conseguenze giudiziarie immediate ed esemplari».

«E cioè?».

«E cioè se ti ricordi se avete spedito qualcuno al gabbio per un bel pezzo».

Lui sbuffò, dimenò la testa, sbuffò di nuovo, e dopo una grattata al cuoio capelluto che mi parve ormai insopportabile, disse:

«Io per queste cose sono negato, ispettore. I casi me li dimentico appena abbiamo finito di lavorarci. Chi si ricorda sempre di tutto è l'ispettore. Ha una memoria peggio di un elefante. Fate prima a chiedere a lui».

Garzón, che aveva già capito quale genere di idea mi avesse spinta a convocarli lì, mi fece un cenno interrogativo con le sopracciglia e alzò le spalle: «Perché no?». Scossi la testa. No. Carreras era pur sempre il principale indiziato, non potevamo coinvolgerlo nelle indagini. Ma il mio sottoposto, come se avessi pensato ad alta voce, replicò:

«Possiamo verificare tutti i casi affidati a Carreras in archivio, ispettore, ma la avverto che per farlo dovrà chiedere il permesso al commissario, spiegargli la sua strategia, avvertire il giudice...».

Mi conosceva troppo bene, il volpone. Sapeva che alla sola menzione della burocrazia ero capace di fidarmi anche del demonio.

«E va bene, viceispettore. Faccia venire Carreras immediatamente».

Juanjo, che non aveva capito quasi niente, solo a sentire il nome del suo capo si illuminò di un sorriso di soddisfazione.

Sorriso che si dissipò un'ora più tardi, quando l'ispettore Carreras comparve in commissariato. Il poveretto era addirittura più magro. Anche se non era passato molto tempo da quando quell'incubo era cominciato, sembrava invecchiato di dieci anni. Il peggio era che aveva l'aria di un uomo che ha gettato la spugna, rassegnato a lasciare che le disgrazie gli piombino addosso senza neppure fare il gesto di fermarle con le mani.

«Salve, come va?» fu il suo laconico saluto.

«Ángel, ascoltami bene. Abbiamo riflettuto a fondo sul tuo problema e siamo giunti alla conclusione che qualcuno ha commesso il delitto allo scopo di incastrarti. Devi aiutarci a scoprire chi può essere stato».

Lui mi guardò come se venisse da regioni lontane e stentasse a capire la mia lingua. Poi tentò una risata tra il cinico e il lamentoso.

«Questo è il risultato delle vostre indagini? Ve l'avevo detto io fin dall'inizio».

«Carreras, tu sei un buon poliziotto, ma noi non siamo esattamente degli imbecilli. Stiamo cercando di arrivare a qualcosa e mi sembra di avere una buona pista».

«Per me potete anche lasciar perdere. Tanto nessuno mi restituirà mia moglie! E se vogliono incriminarmi, il carcere mi va benissimo. Senza di lei, cosa volete che me ne importi».

«Piantala! Non hai nessun diritto di farti vedere in questo stato! Sei un poliziotto, o no? E dei migliori! Vuoi che rimanga in libertà il tizio che ha ammazzato tua moglie? Dobbiamo prenderlo, dico io...».

«Te lo ripeto, questo non potrà restituirmela».

Mi alzai in piedi. Mi avvicinai e gli stirai i risvolti della giacca spiegazzata.

«Senti, Carreras, nessuno potrà restituirti tua moglie, è vero. Tua moglie è morta, e non tornerà mai più. Ma tu sei qui, nel mondo dei vivi, e noi anche. Se vuoi darti per vinto, rovinarti la vita o magari anche suicidarti, nessuno te lo impedisce. Quello che ti chiedo è che ci aiuti a trovare un assassino, nient'altro. È il tuo dovere, di poliziotto e di cittadino. Poi, sarai libero di fare quello che vorrai».

Mi accorsi, guardandoli con la coda dell'occhio, che tanto Revilla quanto Garzón seguivano le mie parole scandalizzati. Mi blindai dietro un volto impenetrabile. In quel momento Carreras si mise a piangere a testa bassa. Revilla fece un passo verso di lui, sicuramente per confortarlo. Io lo bloccai prendendolo per un braccio.

«Ma che cosa posso fare io!» disse in quel momento l'ispettore asciugandosi le lacrime.

Sostituii il tono duro con la neutralità di chi conduce un'indagine. Proprio come se stessimo lavorando da ore con la massima tranquillità.

«Voglio che tu ti guardi indietro. Che tu ripensi ai casi risolti l'anno scorso, o forse anche prima. Consultate gli archivi, Garzón e Juanjo ti daranno una mano. Secondo me bisogna cercare qualcuno che abbia avuto la sua condanna intorno a Natale, qualcuno che se la sia segnata, capisci?».

«Sì, ma quel qualcuno, come c'è entrato a casa mia? Come ha fatto a prendere la pistola e poi a rimetterla al suo posto? Io questo non lo capisco, Petra, e non vedo come fare per capirlo».

«Non ti ho chiesto di condurre tu le indagini. Solo di cercare chi può essersela presa a morte con te. Non chiedermi altro. Facciamo un passo per volta. Le soluzioni arriveranno. E adesso andate a fare il vostro lavoro. Io torno tra poco».

In realtà non avevo niente da fare, ma non sopportavo l'atmosfera che si respirava in quella stanza. Tutto quel dolore, tutta quella partecipazione, tutto quel rimestare nei sentimenti... Potevano cavarsela benissimo da soli, io avrei fatto una capatina al bar, anche se me ne sarei andata volentieri a casa. Presi un caffè, cercando di non pensare a niente. Poi tornai in commissariato e senza farmi vedere da nessuno sgattaiolai nel mio ufficio. Se ci fossero state novità, sarebbero venuti a cercarmi.

Infatti. Alla fine del pomeriggio fui convocata. Il lavoro di ricerca aveva dato i suoi frutti: solo due erano i casi compatibili con quel che andavamo cercando. Due omicidi. Entrambi i colpevoli erano stati giudicati e condannati. Carreras li ricordava bene. Nel primo caso si era trattato di omicidio colposo. Un ragazzo aveva investito una signora anziana con la motocicletta ed era scappato senza prestare soccorso. L'altro, invece, era un omicidio bello e buono. Durante una rapina in una gioielleria, il tizio aveva sparato freddamente quando il proprietario aveva allungato la mano verso il pulsante dell'allarme. La sua immagine era stata catturata dalle telecamere, dentro e fuori del negozio. Era un pregiudicato e fu preso quasi subito. Un caso facile, da manuale. Rimuginai su quei dati. E se il mio intuito avesse preso un abbaglio? Be', se il mio intuito avesse preso un abbaglio non ci avrei perso niente, mi risposi da sola. In un accesso d'individualismo autoritario insolito in me (o no?) non avevo comunicato a nessuno quali fossero di preciso i miei sospetti.

Mi fecero sedere al computer. Juanjo mise mano al mouse. Olegario Lagares, vent'anni. Condannato a tre anni di reclusione. Di professione saldatore. Non coniugato. Senza precedenti penali. Due fratelli maschi. Al momento del fatto viveva col padre, vedovo, e con uno dei fratelli. Alzai una mano col fare imperioso di una guida turistica.

84

«Questo, per il momento, lo scartiamo».

«E perché?» domandò Carreras.

«Troppi uomini nella sua vita, nessuna donna».

«Complimenti!» ironizzò Garzón. «Lei è come Sherlock Holmes, ispettore. Come ha saputo che era colpevole, Mister Holmes? Elementare, Watson, portava i calzini grigi! Sarà il caso che adesso ci dica cosa stiamo cercando».

«Aprimi la scheda dell'altro, Juanjo. Vediamo se questo ha i calzini grigi».

«Rafael Pino. Trentacinque anni. Coniugato. Senza figli. Senza occupazione. Già condannato per piccoli reati che non avevano comportato pene detentive».

«Abbiamo l'indirizzo?».

L'avevamo. Guardai l'ora. Troppo presto. Meglio aspettare le otto di sera, quando tutti rientrammo a casa dal lavoro. Ormai nessuno faceva domande, anche se Garzón mi lanciava occhiate recriminatorie ogni cinque minuti. Carreras cadde in uno dei suoi silenzi di completa assenza, e Juanjo non osava aprir bocca.

Alle otto e un quarto eravamo in calle Camelias, al numero 6. Le istruzioni erano chiare. Mentre io salivo da sola al terzo piano, i miei tre colleghi mi avrebbero aspettata al bar di fianco, ciascuno col cellulare pronto nel caso li avessi chiamati.

Ebbi fortuna. Al secondo squillo di campanello mi aprì una donna. Sui trent'anni, molto bella, con due occhi enormi che spalancò ancora di più nel vedermi.

«Ispettore Delicado della Policía Nacional. Lei è la moglie di Rafael Pino?».

Non mi lasciò passare. Mi guardò con durezza.

«Cosa vuole?».

«Mi faccia entrare».

Si spostò controvoglia, lasciò la porta aperta. L'ingresso non c'era, mi ritrovai in un piccolo soggiorno malmesso: un sofà con un copridivano macchiato, un tavolo e un vecchio tappeto logoro cosparso di giocattoli scompagnati.

«Mi dica come si chiama».

«Antonia Mistral».

«Ha figli?».

«No».

«E questi giochi?».

«Guardo la figlia di una mia vicina quando va a lavorare».

«Da che ora a che ora?».

«Senta, lei, ma cos'è venuta a cercare qui?».

«Risponda».

«Dipende!» gridò. «Pulisce degli uffici, non fa sempre gli stessi orari».

«Lavora di notte?».

«Sì».

«Che età ha la bambina?».

«Tre anni» sbuffò lei di malumore. «È contenta? Se ne va, adesso?».

«Non ancora. Stiamo aspettando visite, tutte e due». Feci il numero di Juanjo e gli dissi di salire. Quello fu il momento in cui temetti di non aver messo in piedi altro che uno stupido castello in aria, conducendo fino alla fine l'operazione con prepotenza e scarsissimo senso comune. Serrai la mandibola, rimasi immobile, e allentai la pressione solo quando sentii la voce di Juanjo dietro di me:

«Magda!».

Voltandomi li vidi l'uno di fronte all'altra. Il ragazzo era a bocca aperta, gli occhi fissi e come spiritati. Lei lo guardava con disprezzo, a testa alta, come a volersi mettere al di sopra di tutta la faccenda. Non si scambiarono una parola. Poi lei gli voltò le spalle. Chiamai Garzón e gli dissi di salire con Carreras. Quando arrivarono, il quadro non era cambiato.

«Si giri!» ordinai alla ragazza. Lo fece, e come vide Carreras il suo volto orgoglioso si alterò in una smorfia di collera:

«Che cosa ci fa qui questo figlio di puttana? Perché l'ha portato? Questa è casa mia. Fuori!».

«Lei è in arresto per l'uccisione di Carmen Madueño» recitai con enfasi.

In quel momento mi resi conto che avevo riunito in una stessa stanza tutti gli elementi per scatenare una scena di estrema violenza: quella donna sembrava sul punto di perdere il controllo, e Carreras... Devo riconoscere che la sua reazione mi sorprese. Guardava la falsa Magda come ammaliato, senza dare alcun segno di rabbia o di odio. Inaspettatamente, le domandò:

«Ma perché?».

Lei gridò con tutte le sue forze:

«Perché hai mandato in galera mio marito, bastardo! Lo sapevi che lui non voleva uccidere! Sai che ti dico? Sono contenta che siate qui! Adesso hai capito perché ti è successo quel che ti è successo. Tanto io, con la vita che faccio, posso benissimo finire in galera. Così almeno faccio la stessa fine di mio marito».

Juanjo e Garzón intervennero insieme. Il ragazzo immobilizzò la donna girandole un braccio dietro la schiena. Fermín si avvicinò a Carreras e gli mise una mano sulla spalla, come per consolarlo, ma pronto a neutralizzare ogni suo gesto inconsulto. Precauzione inutile: l'ispettore era paralizzato. Il suo sguardo vagava molto lontano. Ma un attimo dopo, mi chiese:

«Petra, secondo te, come ha fatto a entrare in casa mia? Aveva un doppione delle chiavi?».

Lo guardai sbalordita. Stava reagendo da poliziotto, non da uomo che ha appena scoperto l'assassina di sua moglie. Gli dissi che non lo sapevo. Gli spiegai che avevo avuto un presentimento quando Juanjo mi aveva raccontato di quell'essere angelico improvvisamente comparso nella sua vita. Ma di come avesse fatto a entrare in casa sua non avevo idea. Gli chiesi di aiutarmi a completare le indagini. Questo lo avrebbe distratto dal suo dolore.

Verificammo chi fosse la vicina che affidava la figlia alle cure della rea confessa e andammo a trovarla. La piccola aveva tre anni e mezzo, era simpatica e sveglia, e molto minuta, come avevo immaginato. La madre non volle assolutamente che la interrogassimo. Ma era la sola opportunità che avevamo. Quando la faccenda fosse passata nelle mani del giudice, la testimonianza di una bambina sarebbe stata certamente impensabile. Dovetti spiegare alla signora che probabilmente sua figlia era stata usata per commettere un omicidio, e allora lei ci permise di farle qualche domanda. Anche se ancora non parlava molto bene, il suo cervellino funzionava a meraviglia. Si ricordava benissimo di quel gioco che aveva fatto con la sua baby-sitter. Che era entrata e uscita in una casa da una porticina piccola, come un gatto, che aveva preso una pistola «per giocare» in un armadio tutto di vetro, e che poi era tornata per rimetterla a posto. Tonia le aveva anche messo dei guantini piccoli piccoli, proprio per lei, così lo aveva fatto meglio. La madre non riusciva a riaversi dallo spavento. Si rese conto che qualcosa la bambina le aveva detto. Che una sera erano andate fuori in macchina, per esempio. Che Antonia le aveva regalato dei guantini, ma poi li aveva persi. Che aveva giocato al gatto con la pistola. Lei non ci aveva badato, pensava che sua figlia avesse molta fantasia. Era talmente furibonda che si offrì lei stessa di ripetere davanti a un giudice quello che la bambina aveva raccontato.

Fu un caso risolto che salvò un collega da un'imputazione gravissima. E tutto per pura coincidenza, grazie a quella banale chiacchierata con Juanjo davanti a un gin tonic. Ma anche grazie a una mia intuizione, non vedo perché togliermi dei meriti. Un genere di intuizione che a lui, poveretto, non rendeva tanto onore.

«Quel che mi scoccia, ispettore, e che lei non mi abbia creduto capace di rimorchiarmi una ragazza così».

«Al contrario, ragazzo!» risposi. «Quel che non mi quadrava era che una ragazza così avesse potuto mollare un tipo come te. Pensa fino a che punto sono convinta del tuo fascino!».

Forse non mi credette, ma la sua frustrazione non fu nulla al confronto del dolore che assalì Carreras quando smise di far la parte del poliziotto e tornò a essere semplicemente un uomo che ha perso sua moglie. Provò un terribile senso di colpa, angoscia, desolazione infinita. L'essere scagionato non bastava a salvarlo dal vuoto in cui era caduto. Eppure io ne trassi una conclusione positiva: l'amore è ancora un sentimento potente. Per amore si può arrivare a uccidere, per amore un uomo si sente come un morto, anche se si vede liberato da un sospetto atroce. E fu in nome dell'amore che Garzón ed io decidemmo di festeggiare. Ce ne scappammo a prendere l'aperitivo in riva al mare. Eravamo così euforici che non sentivamo neppure più quell'umida e terribile oppressione d'agosto.

La principessa Umberta

A Umberta Echaniz, cui la mia ispirazione
ha rubato solo il nome e la bellezza

Verso il venti dicembre di ogni anno, di ogni maledetto anno che il Signore manda in terra, si tiene la famosa cena di Natale del commissariato, una lieta occasione conviviale all'insegna della pace, dell'amore e della fraternità. Dovrebbe essere un momento commovente, in cui quelli di noi che non sono in servizio si scambiano i migliori auguri di buone feste. E non dico che sia una cattiva idea, anzi, la troverei addirittura strepitosa, se non fosse che tutta la fraternità e l'amore che riusciamo a esprimere tra noi riesce a trasformarsi immediatamente in sguaiata grossolanità. Certo, il commissario Coronas presiede l'evento, come no, ma rimane solo finché viene portato in tavola il dolce, dopo di che adduce altri misteriosi impegni e se ne va. È chiaro che la sua presenza è una magnanima concessione alla plebe, ovvero a noi sbirri che ci danniamo l'anima ai suoi ordini per tutto l'anno. Di lì in poi, perso il freno dell'autorità, diamo libero sfogo ai divertimenti che caratterizzano la plebaglia poliziesca: consumo smodato di alcol e scambi di battute da caserma. Ed è superfluo dire che anch'io appena posso me ne scappo, sperando che nessuno se la prenda. Quell'anno, però, una fuga si profilava impossibile.

Compiendosi i quarant'anni di onorato servizio del viceispettore Fermín Garzón, mio insostituibile assistente, era previsto che alla cena facesse seguito uno speciale omaggio a lui dedicato. Uno dei colleghi avrebbe dato lettura di un testo composto, o per meglio dire «perpetrato» apposta per l'occasione, e all'amato Fermín sarebbe stato consegnato un regalo acquistato con il contributo di tutti. Come potevo andarmene prima? Non c'era nemmeno da pensarci, dovevo rimanere sino alla fine, come un impavido capitano sulla nave che affonda.

Giunse il giorno stabilito, cui seguì l'inevitabile serata, e ci ritrovammo nella sala espressamente riservata in un noto albergo della città. Eravamo tantissimi, decisamente troppi (questa era sempre stata la mia impressione) e nello stato d'animo tipico di quel genere di occasioni. Chi non era stanco, era già in ansia alla prospettiva del lavoro nei giorni di festa, aggravato dal fatto che ritrovarsi circondati da uno stuolo di parenti fermamente decisi a passarsela bene non è sempre la cosa più facile. Io sfoggiavo uno dei miei migliori sorrisi per non alimentare oltre la mia fama di scorbutica asociale, ma Garzón appariva felice, disteso, pieno di giusto orgoglio professionale e perfino radioso di beatitudine natalizia. Non potevo deluderlo, dovevo resistere.

Ci fu un aperitivo stuzzicante, una cena di svariate portate, il consueto scambio d'informazioni sui rispettivi programmi per Natale e Capodanno, e per fortuna il vino sgorgò inesauribile a riempire i calici. Fu questo a tenermi a galla. Mi aggrappai alla birretta dell'aperitivo, per poi afferrare al volo il bianco fresco servito col pesce e abbandonarlo solo per il rosso corposo delle carni. La fama di bevitori degli spagnoli è poca cosa in confronto a quella dei russi e degli irlandesi, ma posso assicurare che neppure noi ce la caviamo male. Il banchetto fu concluso da un gelato al gusto del tradizionale torrone natalizio e da una ricca scelta di cognac e superalcolici vari. Il commissario non se ne andò, diversamente dalle altre volte, tenuto com'era a rimanere fino al termine dell'omaggio a Garzón. Ma i colleghi sfoggiarono suprema indifferenza alla presenza del capo. Tutti brindarono alla carriera del viceispettore «che così a lungo aveva sopportato orari inclementi e un lavoro ingrato». Poi furono intonate strofette per le quali chiunque potrebbe essere scomunicato anche dal nuovo papa. Si udirono paragoni tra Garzón, dal baffo ormai canuto, e «quel rincoglionito di Babbo Natale». Alla fine, recuperata un po' di serietà, l'ispettore Sangüesa lesse un discorsetto che, tutto considerato, non fu neppure così spaventoso. Esaltò la figura del nostro amato collega, il suo buon carattere, il suo spirito di servizio, la sua generosità e la sua onestà a tutta prova. Lunga fu la lista delle sue virtù morali, e solo alla fine calò come una scure, a rovinare ogni cosa, il classico elogio ispanico alla virilità del maschio: «E per concludere, lascia che te lo dica, tu hai più palle di un toro, caro collega». Applausi torrenziali accol-

97

sero queste parole decisive. Poi si passò alla consegna del regalo: uno smartphone di ultima generazione con più applicazioni e proprietà di una pomata della nonna. Il commissario Coronas, cui andò l'onore di porgerglielo, ebbe la finezza di dichiarare: «Nessun dono è abbastanza prezioso per simboleggiare tutto il nostro apprezzamento e la nostra stima. Lo ritenga, caro amico, solo un piccolo pensiero natalizio». Un Garzón emozionato, ma sbruffone, rispose: «E allora spero proprio che vi ricordiate di me anche l'anno prossimo».

Tutto molto bello e molto commovente, solo che il giorno dopo, che era un giorno di lavoro come gli altri, il mio omaggiato collega non fece che irrompere ogni momento nel mio ufficio:

«Pensi, ispettore», diceva, inalberando il suo giocattolo nuovo, «posso cantare le mie canzoni preferite con accompagnamento musicale! Con questa applicazione ho la scelta tra batteria, pianoforte e violino».

Io, che avevo il mio mal di testa da doposbronza piantato come un chiodo in mezzo alla fronte, tentai varie esclamazioni di sorpresa pur di togliermelo di torno. Finché non mi trattenni più:

«Senta, Fermín, perché mentre pensa a come applicare tutte quelle applicazioni inutili, non lascia che io mi applichi un pochino al mio lavoro?».

Dopo avere visibilmente sbuffato, il mio sottoposto sparì e per quasi un'ora riuscii a concentrarmi senza interruzioni. Quando tornò col suo diabolico aggeggio fui a un passo dall'inveire senza pietà. Lui, che se lo aspettava, alzò le mani come a chiedere tregua.

«È una cosa di lavoro, si calmi!».

Gli lessi in faccia i segni di una vera preoccupazione.

«Guardi qua» disse, mettendomi lo schermo sotto il naso. «L'ho acceso solo stamattina e c'è già un messaggio. Legga:

ATTENTI ALLA PRINCIPESSA UMBERTA
LE APPARENZE INGANNANO».

Fissai il viceispettore senza capire.

«È una specie di messaggio di benvenuto» spiegò. «Come se qualcuno si fosse divertito a scriverlo direttamente qui sopra».

«Non ci badi, sarà uno dei tanti scherzi dei colleghi».

«Be', se è uno scherzo non lo trovo spiritoso, sinceramente».

«Come se i loro scherzi lo fossero mai stati».

«Sembra un avvertimento».

«Sarà una delle sue applicazioni del cavolo, Fermín. Provi a digitare principesse e veda cosa viene fuori».

«Certo che anche lei, quanto a spiritosaggine non scherza».

Se ne andò scuotendo la testa, e della questione non si parlò più. O meglio, non se ne parlò fino a due giorni dopo, esattamente.

Quel mattino, mentre prendevo il caffè alla Jarra de Oro, mi cadde l'occhio su un titolo del giornale:

«Assassinata principessa italiana». Seguiva un breve trafiletto: «È stata trovata morta questa notte nel suo appartamento del quartiere barcellonese di Pedralbes l'aristocratica italiana Umberta de' Teodosi, residente da molti anni nel nostro paese». Strabuzzai gli occhi. «La principessa dirigeva una fondazione benefica vincolata a un importante gruppo petrolchimico. Per il momento non sono state rese note le circostanze del delitto».

In una fotografia di piccolo formato si vedeva una donna di una certa età ma di notevole bellezza: lineamenti raffinati, occhi chiari, volto incorniciato da un morbido taglio a caschetto e sorriso soave. Se non fosse stato per lo strano messaggio comparso sul telefono di Garzón, la notizia non mi avrebbe destato che una blanda curiosità. E invece quel messaggio c'era stato eccome. Corsi a cercare il mio ignaro collega.

«Il messaggio? Di che messaggio sta parlando, ispettore?».

Gli misi sotto gli occhi il giornale con la brutta storia della principessa. Rimase a bocca aperta.

«Mica l'avrà cancellato?» gli chiesi a bruciapelo.

«Certo che l'ho cancellato. L'aveva detto lei che era solo uno scherzo dei colleghi».

«Adesso non dia la colpa a me, Garzón. Si ricorda che cosa diceva esattamente?».

«Esattamente no. Qualcosa come: "Attenti alla principessa Umberta. Non è come sembra". Lei pensa che si riferisse a questa principessa Umberta?».

«Quante principesse Umberte crede che ci siano al mondo, Garzón?».

«Be', se c'era solo quella del giornale, adesso non ce n'è più neanche una».

«Ottima deduzione, viceispettore. Ed è sicuro che il messaggio fosse stato scritto direttamente sul suo cellulare? Io non ho idea di come funzionino quei cosi. Crede di poterne avere conferma?».

«Adesso no, ma l'altro giorno mi ero informato. Non riuscivo a convincermi che fosse uno scherzo. Ed era come dicevo io, qualcuno doveva averlo scritto direttamente lì».

«Allora sappiamo qual è la prima cosa da fare».

«Sì, chiedere ai colleghi chi di loro è andato a comprare il telefono».

«Sbagliato! La prima cosa da fare è andare dal commissario Coronas. Dobbiamo farci affidare il caso. E solo Coronas sa come muovere i fili giusti».

Incredibilmente, ci accontentarono.

Non doveva essere facile trovare qualcuno disposto a prendersi una simile bega proprio sotto Natale.

Eppure, quando mi fu comunicata la notizia, qualche domanda cominciai a farmela. Possibile che proprio io avessi chiesto di essere gettata nella fossa dei leoni? Perché, ovviamente, se fosse venuto fuori che il nostro commissariato era coinvolto nella vicenda, sarebbero stati guai seri. E poi, chi mai aveva voglia di addentrarsi nelle paludi di un'aristocrazia decadente e decaduta che aveva fatto del nostro paese il suo estremo rifugio?

Ero sempre stata convinta che se quei nobilastri venivano a stabilirsi in Spagna non era per il bel clima e per la signorilità di certi ambienti, ma per chissà quali oscuri vantaggi che potevano trarne: scambi di favori, intrallazzi, benefici fiscali. Chi poteva saperlo? Comunque, il solo fatto che un simile messaggio fosse comparso sul cellulare di Garzón per me valeva come un imperativo morale. E poi, che proprio io avessi minimizzato l'importanza di quel breve testo mi faceva sentire in colpa. Era mio dovere impegnarmi a fondo. Avevo un mucchio di cose da fare: comprare regali per una lista infinita di persone, architettare chilometrici banchetti pieni zeppi di calorie e dannosi grassi animali, ma se dovevo dirla tutta perfino lavorare mi pareva più desiderabile che cantare *Tu scendi dalle stelle* e ingozzarmi a più non posso in una lieta atmosfera di pretesa armonia familiare.

La nobildonna era stata colpita alla nuca giusto la sera prima, con un corpo contundente, mentre leggeva seduta in poltrona ai piedi dell'albero di Natale. La porta era stata forzata, con gran professionalità, poco dopo che la domestica filippina era uscita per la sua sera libera. Inoltre era sparita la cassaforte, impeccabilmente estratta da una cavità nascosta dietro il mobile bar. Sembrava opera di specialisti. Se così era, il metodo da seguire per le indagini era da manuale: interrogare la domestica, sentire l'unico figlio della principessa, di nome Felipe, residente anche lui a Barcellona, verificare la contabilità della fondazione che la vittima dirigeva e, naturalmente, sguinzagliare mezzo commissariato sulle tracce di tutte le bande di scassinatori professionisti di cui si avesse notizia.

Tutto rientrava nella più perfetta normalità, tranne che per quel messaggio sul telefono di Garzón. Lì stava l'enigma. Cosa diavolo c'entrava il nostro bravo viceispettore con quella principessa italiana? A chi mai era venuto in mente di scrivere un avvertimento del genere su uno smartphone nuovo di zecca destinato proprio a lui? La mia curiosità era tale che avrei voluto sbattere le ciglia e trovarmi davanti la soluzione bell'e pronta come per magia.

Chiedemmo alla nostra agente Yolanda quale dei colleghi avesse avuto l'incarico di comprare il regalo per Garzón. L'ispettore Tomelloso, ci disse. Un tipo sulla quarantina, simpatico, molto a posto. Era con noi dal 2000, e nessuno aveva mai trovato niente da ridire su di lui. Rimase costernato quando gli spiegammo la questione.

«Dove l'hai comprato?» gli chiesi.

«In un negozio in centro, dove ho preso anche il cellulare per mia moglie. Vi do l'indirizzo, se volete».

«E che cosa ne hai fatto prima di consegnarlo a Coronas?».

«Niente, Petra, cosa vuoi che abbia fatto? Come al solito avevo rimandato la commissione fino all'ultimo. Sono passato a comprarlo la sera prima, uscendo dal lavoro. Poi sono andato a casa col mio bel pacco regalo e il giorno dopo l'ho portato qui».

«Chi abita con te?».

«Santo Dio, Petra, la mia famiglia! Mia moglie e le bambine».

«E una volta qui, dove hai lasciato il dispositivo?».

«Il dispositivo, come lo chiami tu, l'ho lasciato nel cassetto della mia scrivania. Chiuso a chiave. Non che non mi fidi, ma è sempre meglio prevenire che curare».

«Quindi non l'ha toccato nessuno».

«Nessuno. Per tutto il tempo che l'ho avuto io, è rimasto esattamente come me l'hanno dato al negozio, impacchettato in una carta a pallini davvero molto carina».

«È vero» intervenne Garzón. «L'ho perfino tenuta, mi spiaceva buttarla via. Ma non era a pallini, era a quadrettini».

«Pallini, quadrettini, neanche mi ricordo. Era su fondo nero, e poi c'era un nastro dorato».

«Esatto. E ora che me lo dici non sono più così sicuro che fosse a quadrettini, magari era a pallini come dici tu».

Fino a quel momento avevo sempre creduto che gli uomini fossero affetti da un'incapacità congenita di distinguere i colori. Per loro non c'è nessuna differenza tra il verde muschio e il verde erba, tra il rosa e il fucsia, tra il rosso e l'arancione. Ma adesso constatavo che il disturbo era ben più grave, coinvolgeva anche i motivi e le fantasie: quadrettini o pallini, righini o cavallucci marini, per loro erano la stessa identica cosa. Sono poco sensibili alle sottigliezze, ecco.

Morto di curiosità com'era, pregammo Tomelloso di tacere per non mettere in allarme la preda, qualora si fosse trovata in commissariato. Il povero Garzón era molto abbattuto: per colpa di quell'assurdo pastrocchio il suo cellulare era finito sotto sequestro, come corpo di reato. Appena fummo soli si mise a blaterare insensatezze:

«Magari ci stiamo scervellando senza motivo e aveva ragione lei, ispettore! Era solo uno stupido scherzo, e noi l'abbiamo preso per un disegno dell'Altissimo».

«Se sul suo aggeggio ci fosse stato scritto: "Attenti alla Peppina, col caffè della mattina" sarebbe stato diverso. Ma trattandosi di Umberta, e principessa, per maggior sventura, non c'è santo che tenga, dobbiamo vederci chiaro».

«Chi non sa a che santo votarsi sono io, che non ho più il mio telefono! Chissà quando me lo ridanno».

«Se ne compri un altro, o chieda a Beatrice che glielo faccia portare dai Re Magi».

«Neanche per idea! I colleghi potrebbero offendersi. E poi, con la scalogna che ho, magari ci trovo la soluzione dell'enigma delle piramidi e devo donarlo alla scienza».

«Be', non sarebbe male, visto che il suo corpo, con tutte le schifezze che mangia, non servirebbe a granché».

«Aspetti a dirlo dopo le feste. Ho già in mente di cucinarmi un maialino al forno che non sarà la cosa più sana di questo mondo, ma di certo risusciterà i morti».

Mi fece ridere. Da piccolo Garzón doveva essere il tipico ragazzino a cui capitano sempre le cose più strane. Gli diedi una pacca sulla spalla e ce ne partimmo alla volta del lussuoso quartiere collinare di Pedralbes. Nel frattempo, con l'efficienza che lo contraddistingue, l'ispettore Sangüesa, il nostro esperto in questioni contabili, avrebbe rinunciato ai giorni in famiglia per passare al setaccio le finanze della principessa e i libri della fondazione. Magari l'autore di quell'avvertimento aveva ragione, e la bella aristocratica nascondeva qualcosa.

L'appartamento della principessa era un sontuoso attico pieno di oggetti antichi dalle cui vetrate si contemplava tutta Barcellona. I colleghi che avevano condotto il primo sopralluogo, la notte del rinvenimento del cadavere, lo avevano già scrutato palmo a palmo senza trovare nulla di interessante. Curiosammo un po' anche noi, giusto per farci un'idea di che tipo di donna fosse la vittima. Era davvero una dama dell'alta società. Su un tavolino di un'epoca che non saprei precisare erano disposte svariate fotografie dentro cornici d'argento che la ritraevano in diverse circostanze e pose: accoccolata sull'erba durante un picnic; in abiti sportivi con un cane al fianco; in sella a un bellissimo cavallo baio; vestita di bianco, con un gran cappello, a chissà quale ricevimento importante; seduta semplicemente in poltrona con un libro tra le mani... C'erano anche immagini di un uomo, probabilmente il defunto marito – la principessa era vedova –, e di un giovane biondo con gli occhiali che le assomigliava parecchio, certamente il figlio Felipe.

«Una vita di privilegi» osservai.

«E come poteva essere altrimenti, se era una principessa?».

«Non creda, Fermín. In questo l'Italia non è diversa dalla Spagna: di nobili ce ne sono dappertutto, sono come il prezzemolo, ma un titolo non garantisce una vita nel jet-set. Ci sono nobili rovinati e senza un soldo, nobili che vendono i quadri di famiglia per tirare avanti, altri che prestano la loro immagine a marche commerciali pur di guadagnare qualcosa...».

«Pur di non lavorare, vorrà dire. Anche a me piacerebbe prestare la mia immagine per una marca di mutande. Crede che ne avrei la possibilità?».

«Che cosa dice, Garzón? Francamente io non la vedo posare in déshabillé».

«Non creda, sa? Guardi che faccio ancora la mia figura. E le giuro che se me lo offrissero direi di no, ma solo per non offendere Beatriz, perché altrimenti... Lavorerei certo meno che in polizia, come quei nobilastri che dice lei».

«Questo è il punto, Fermín. Lavorare, lavorano tutti poco, ma guai a farglielo notare, se la prendono a morte. Sono capaci di risponderti che non hanno un attimo di tregua, che si occupano di mille cose, che sono schiacciati dal peso delle responsabilità; e se hanno un patrimonio o una casa di famiglia importante, si lamentano che è una voragine senza fondo, una fonte inesauribile di guai e preoccupazioni».

«Me lo immagino. Ora però vedremo cos'ha da dirci l'ispettore Sangüesa su come se la passava la nostra principessa. Di certo la signora non andava alle mense di carità per mettere qualcosa in pancia».

«Non vada così sul pesante, Garzón. Non è nemmeno il caso di essere razzisti».

«Ma se è stata lei la prima a sparare a zero su certa gente!».

«Sì, ma io l'ho fatto con buon gusto e moderazione».

La luce gelida dell'inverno ci ferì gli occhi non appena fummo in strada. Decidemmo di cercare un bar dove scaldarci con un buon menu a prezzo fisso, ma a Pedralbes un posto come quello potevamo solo sognarcelo. Scendemmo fino a Gracia, che grazie a Dio è rimasto un quartiere popolare e accogliente, e lì non fu difficile trovare un posto come si deve dove la gente stava seduta su semplici sedie da osteria e mangiava su tovaglie di carta.

«Dalle stelle alle stalle, vero, ispettore?».

«Lei crede che la principessa fosse più felice di noi nella sua vita da quartieri alti?».

«Neanche per idea! Mi guardi, e guardi quella bella zuppa di fagioli fumante che tra un attimo sarà nel mio piatto. Crede che cambierei un piacere simile con qualcos'altro al mondo? Senza contare che adesso la principessa è sul morto andante, mentre noi siamo qui, infreddoliti ma vivi, e con una fame da mangiarci il tavolo. E poi non mi dica che vado sul pesante».

«No, caro amico, lei è la voce stessa della saggezza».

Una volta rimessici in forze, ci dirigemmo alla sede della famosa fondazione, dove trovammo ad attenderci l'inconsolabile figlio della vittima. L'ispezione cui ci sottopose fu impressionante, perché i suoi occhi chiari erano talmente identici a quelli della madre che fu come se la principessa in persona cercasse di sapere qualcosa di noi, e non il contrario. Il dottor Felipe, malgrado il piglio manageriale, ci parlò del delitto con autentico dolore. Capii subito che nel suo animo non trovava posto il timore di quel che avrebbe pensato la gen-

te né delle voci malevole che immancabilmente fiori-
scono dopo una morte violenta di quel genere. No, lui
era sinceramente affranto. Si sforzava di mostrare una
parvenza di serenità ma il suo sguardo era velato dalla sofferenza.

«So che per lei tutto questo è molto penoso, ma non
posso evitare di farle qualche domanda» cominciai.
«Può dirmi che tipo di donna era sua madre?».

Evidentemente non si aspettava un approccio così personale in un colloquio con la polizia. Era talmente
spiazzato che mi vidi costretta a spiegare:

«Vede, per noi è importante determinare la personalità della vittima. Facciamo sempre così».

«Mia madre era una donna meravigliosa» farfugliò
a voce bassissima. Poi si ricompose per proseguire:
«Una donna allegra, coraggiosa, delicata e sempre cortese con tutti. Sette anni fa la morte improvvisa di mio
padre la segnò molto profondamente. Fu un periodo difficile. Mia moglie, i miei bambini ed io cercammo di
starle vicini, eppure tutto sembrava inutile. Per uscire dalla depressione pensò persino di tornare in Italia,
paese che amava moltissimo e dove vive ancora gran
parte della famiglia. Ma anche questo servì a poco. Finché cinque anni fa mi venne in mente una soluzione.
Il gruppo di aziende per cui lavoro ha sempre annove-
rato tra le sue svariate attività una fondazione a fini
culturali e sociali. Era una realtà piuttosto trascurata,
poco operativa, cui nessuno dava grande importanza.
Parlai con il consiglio di amministrazione del gruppo
e proposi mia madre come direttrice. Loro ne furono

ben lieti e lei accettò. Fu l'idea migliore che avessi mai avuto. Quella nuova responsabilità la restituì alla vita e lei restituì vita alla fondazione. Vi si dedicò anima e corpo. Ampliò gli obiettivi e moltiplicò i progetti: secondo il nuovo orientamento da lei delineato, tutti gli utili degli eventi sociali e culturali organizzati dalla fondazione sono finalizzati a promuovere iniziative in favore dei bambini in difficoltà. È stata un'opera complessa e ingente. Ingente» ripeté, in tono ammirato.

«Magnifico!» non mi trattenni dall'esclamare. «Non si può dire che non sia una storia potente. Ma secondo lei, e mi perdonerà se quel che le chiedo può metterla a disagio, è del tutto impensabile che sua madre fosse coinvolta in operazioni, come dire... poco chiare, o addirittura ai limiti della legalità?».

Naturalmente lui ci restò di sale. Mi stava raccontando la vita di una santa, e io gli domandavo se quella santa non avesse commesso dei reati. Lo vidi farsi paonazzo dalla collera, ma ancora una volta la sua buona educazione riuscì ad avere la meglio.

«Ignorerò questa sua domanda, ispettore. Posso dirle soltanto che mia madre non si occupava unicamente degli aspetti più prestigiosi e piacevoli della vita della fondazione, ma si recava assai spesso in quartieri ad alto rischio, aveva a che fare direttamente con famiglie in difficoltà, o con realtà di grave emarginazione, e affrontava queste esperienze con un impegno che pochi sarebbero in grado di sostenere».

Non c'era da stupirsi che si sentisse offeso, la domanda era stata troppo diretta. Con l'unico risultato che l'argomento era stato subito cassato: o il figlio ignorava totalmente eventuali attività poco chiare della madre, o non intendeva parlarne e non lo avrebbe mai fatto. O forse sua madre era davvero quell'angelo di bontà che lui mi dipingeva.

«E perché non dovrebbe esserlo?» replicò Garzón quando gli espressi questa mia perplessità. «Stiamo impostando le indagini come se la principessa fosse colpevole di qualcosa».

«Lei dimentica il messaggio».

«Quel cavolo di messaggio non può condizionarci così! Tanto più che non ne sappiamo niente».

«Però c'è stato».

Fummo costretti a tacere perché il figlio della principessa rientrava nella stanza. Questa volta accompagnato dalla domestica filippina che era stata convocata lì su nostra richiesta. Era una donna poco oltre la trentina, da cinque anni al servizio della principessa. Eppure parlava uno spagnolo a dir poco essenziale. Non sembrava agitata, triste o intimidita, il suo volto era assolutamente impenetrabile. Rimase in piedi davanti a noi, immobile, dopo essersi prodotta in una serie di piccoli inchini con la testa. Il figlio della principessa ci lasciò soli.

«Può dirci dove si trovava la sera del delitto?» chiese Fermín.

«Io fuori, sera libera» pronunciò con difficoltà.

«Sì, però ci dica che cos'ha fatto nella sua sera libera».

«Mie amiche pilipine, io esci sempre con mie amiche».

«Anche quella sera?».

«No, io sola, andata cinema. Tornata subito, porta rotta, io chiama signore, lui chiama polizia. Signora morta». Con quello stile telegrafico sarebbe stato difficile cogliere qualche sfumatura interessante nelle sue dichiarazioni.

«E come mai l'altra sera non è uscita con le sue amiche?».

«Mie amiche sempre vedi pilm di amore. Io andata sola».

«E che film ha visto?».

«Una notte da leoni, tre» disse con perfetta chiarezza.

«E c'è qualcosa che può dirci della signora? Era forse venuto qualcuno, negli ultimi tempi, che non fosse tra le persone che lei vedeva di solito?».

«No, nessuno venuto. Signora molto brava. Io molto tiriste».

Senza dare alcun segno che potesse farlo prevedere, si mise a piangere. Ma il suo non era un pianto silenzioso, e non era nemmeno un pianto a singulti, era una specie di ululato informe che le usciva dalla gola e che sembrava non doversi fermare mai. Dopo un minuto di quello strazio, Felipe tornò nella stanza.

«Si è messa a fare così tutto d'un colpo» disse Garzón come se volesse scusarsi.

Il nobiluomo la prese per un braccio, le diede qualche colpetto sulla spalla e se la portò via. Sentimmo affievolirsi quella sirena lungo il corridoio mentre la riaccompagnava alla porta. Poco dopo lui tornò.

«Vi prego di scusarla, è una ragazza semplice ed era molto legata a mia madre. Tutto questo la sconvolge».

«Dovrà venire in commissariato, però. Non abbiamo finito di interrogarla».

«Dubito che possa dirvi nulla di nuovo, ma può darsi che in un luogo estraneo si senta meno condizionata».

Uscendo, ragionai sul fatto che quel Felipe non ci aveva minimamente esortati a catturare gli assassini. Non era certo un tipo viscerale, il figlio della principessa. Tanto meglio per noi.

Suonò il mio cellulare. L'ispettore Sangüesa era già in grado di dirmi qualcosa sui conti personali della principessa Umberta.

«Non vedo niente di irregolare, Petra. È tutto estremamente chiaro. La signora percepiva uno stipendio come direttrice della fondazione, e i canoni di locazione di alcuni appartamenti che possedeva a Roma. Presentava la dichiarazione dei redditi da buona cittadina e i suoi conti correnti e depositi bancari non hanno registrato alcun cambiamento significativo negli ultimi mesi».

«Bene. Allora sai già quello che devi fare».

«Dammi una pista».

«La fase due, Sangüesa. Passare da quella benedetta fondazione e spulciare i libri contabili».

«Non mi sono mai piaciute le fasi due, cara Petra. Soprattutto la vigilia di Natale. Senti, ma è vero che questa tizia era una principessa?».

«La cosa non è chiara. Il sangue sulla scena del delitto non era blu».

«Allora non mi fido neanche un po'».

Era simpatico, Sangüesa. Ma non invidiavo il suo lavoro, arido, ripetitivo, noioso, fatto solo di numeri. Certo che per noi era essenziale. Mi riscossi dai miei pensieri e mi accorsi che Garzón stava lì a guardarmi come un allocco.

«Si può sapere cosa aspetta, Fermín?».

«Ordini, ispettore».

«Allora può andare a sollazzarsi».

«Magnifico, per una volta!».

«Non mi ha lasciata finire. Può andare a sollazzarsi con la visione di *Una notte da leoni 3*. Continua a non quadrarmi che la morte della signora coincida con un cambio di programma della filippina».

«Che tipo di film è?».

«Una sonora boiata».

«Scommetto che se fosse stato di Bergman ci sarebbe andata lei».

«Non mi faccia innervosire, viceispettore, io ho altre cose da fare. E non si sogni di portarci Beatriz, non le piacerebbe».

Mentre il mio collega era al cinema (ero convinta che si sarebbe divertito un mondo) andai da Megastar, il negozio di astruserie tecnologiche da cui proveniva il nostro inopinato *corpus delicti*. Il titolare, o gestore o commesso, o tutte e tre le cose insieme, era un ragazzo molto giovane che, come gli ebbi mostrato il tesserino, trovò esaltante l'idea di avere davanti un poliziotto.

«Sì, me lo ricordo il suo collega. E anche il telefono, un bell'apparecchio, il migliore. L'avete trattato bene il tipo che andava in pensione».

«Non andava in pensione, erano i quarant'anni di servizio».

Sogghignò. Voleva fare il furbo.

«Quarant'anni di vita da sbirro. E come sta?».

«Benissimo. Ma non sono venuta per farmi due risate con te. Su quel telefono c'era un messaggio, quello che si chiama messaggio di benvenuto, sulla prima schermata. Qualcuno l'ha per forza digitato lì, sull'apparecchio. Voglio sapere chi può averlo maneggiato prima di noi».

Restò lì a guardarmi come se non capisse.

«È successo qualcosa?».

«Rispondimi, per favore».

«Nessuno ha toccato quel telefono, ispettore. Qui lavoro soltanto io, e al suo collega che è venuto qui l'ho consegnato nuovo di pacca, non ho nemmeno inserito la batteria».

«Sei sicuro? Sulla schermata di blocco non c'era niente?».

«Be', non ho guardato, però è impossibile. Non l'ho aperto, come le dico, l'ho lasciato chiuso nel cellophane, com'era nella scatola. E se ci fossero stati dei messaggi già memorizzati, io non li avrei visti».

«Non c'è nessuno che lavora qui, oltre a te?».

«No. Be', ogni tanto viene la mia ragazza a darmi una mano, ma le lascio fare solo le pulizie».

«Una gran delicatezza da parte tua. E prima che i telefoni arrivino in negozio?».

Lui si grattò la testa, irta di capelli corti e dritti come gli aculei di un porcospino, e sospirò.

«Dentro la confezione c'è la cartolina della garanzia. Lì dovrebbe esserci la data di fabbricazione e il numero di serie dell'articolo. Se me la porta, posso chiamare la casa e domandare».

«D'accordo. Vedrò se la cartolina c'è ancora. Nel caso, ritorno».

«Sta indagando su un omicidio, ispettore?» mi chiese il ragazzo mentre stavo uscendo.

«Sì, nei momenti in cui non faccio le pulizie» risposi, ma sono quasi certa che non mi capì.

Come mi ero immaginata, a Garzón il film era piaciuto da matti.

«Sarà una boiata ma non è così male. Però non so se sarebbe di suo gusto. A lei piacciono quei film da intellettuali dove non succede mai niente. Guardi che ci sono delle scene fortissime, tipo quando quei tre si svegliano e non si ricordano che...».

Prima che avesse la sfacciataggine di illuminarmi sulla trama, lo interruppi:

«Magari anche alla nostra filippina piacciono i film dove non succede niente. Domattina verifichiamo».

«Ispettore, domani è la vigilia di Natale!».

«Non la facevo così tradizionalista, viceispettore».

La ragazza rimase sbalordita quando Garzón le chiese di raccontare il film. Nei suoi occhi vidi panico e confusione. Sorrise scioccamente.

«Uomini molto coraggio. Coraggio di leoni. Uomini esci di notte».

Il viceispettore, come un professore coscienzioso, si mise a interrogarla punto per punto sullo svolgimento della storia. Al principio la ragazza cercò di tirare a indovinare, ma poi capì che il gioco non funzionava e attaccò a piangere istericamente.

«Di' la verità una buona volta, se no sarà peggio per te. Vuoi essere accusata di omicidio?» la incalzai.

Lei guardò a terra.

«Signori cattivi detto quella notte io non deve stare in casa» ammise di punto in bianco.

«Come, signori, quali signori? La principessa li conosceva?».

«Sì, io visti in casa, poco, però certe volte loro venuti. Io non pensa che ammazza mia signora».

«E perché non l'hai detto subito alla polizia?».

«Signori cattivi detto ammazza pure me se parlo».

«E chi erano? Sai come si chiamano?».

«Un signore vecchio, uno giovane».

«E che cosa facevano quando venivano a casa della signora?».

«Andati nello studio, io non capisce, parla, parla tanto... io non sai».

«Le portavano qualcosa?» chiese Garzón, colto da un'ispirazione improvvisa.

«Una valigia».

«Una valigia? E sai cosa c'era dentro?».

«No».

Mandammo a casa quella poveretta. Sarebbe stato il giudice a decidere che cosa farne. Quando restammo soli, il viceispettore osservò:

«Ci scommetto tutti e due i baffi che i signori molto cattivi non portavano il cambio di biancheria dentro quella valigia».

«Questo, sicuro. Chiama lei o chiamo io?».

«Chi?».

«L'ispettore Sangüesa. E chi, se no?».

Sangüesa, uomo scrupoloso quant'altri mai, era al suo posto in ufficio malgrado fosse la vigilia di Natale, ma non voleva rivelarci le sue impressioni prima di aver concluso l'esame della contabilità. Ma a me non interessavano le cifre esatte, solo lo spirito generale della cosa. A Sangüesa l'idea che i conti potessero avere uno spirito non andava giù, stentava addirittura a comprenderla. Una sola cosa capiva bene, che ero negata in fatto di numeri.

«Insomma, Petra, lo spirito generale può essere questo, che la contessa…».

«Principessa» lo corressi.

«Bene, che questa regina dei miei stivali riceveva un mucchio di donazioni per la sua fondazione, e straordinariamente generose. Donazioni anonime, ovviamente. Ma siccome la disciplina delle fondazioni impone la trasparenza, sono sicuro che per poco che scaviamo verrà fuori qualcosa che non va. Solo che ho bisogno di tempo».

«Qualcosa che potrebbe portarci fino in Svizzera, tanto per intenderci?».

«Chi lo sa. Potrebbe essere riciclaggio, però…».

«Grazie, ragazzo, rimettiti al lavoro. E non te ne andare a casa questo pomeriggio, avremo ancora bisogno di te. Al giudice servono le cifre, ma a me per ora basta quello che mi hai detto».

«Petra, mi fai paura quando parli così!».

«Sta' tranquillo. Tu pensa a dare i numeri che io penso allo spirito».

Riattaccai per non allarmarlo ulteriormente. Garzón se la rideva sotto i baffi.

«Certo che lei ci prova gusto a rompere le scatole alla gente».

«È la mia specialità. Ma ammetta che la cosa la diverte quando non sono le sue. A proposito, Fermín, l'ha tenuta la garanzia del telefono?».

«Ce l'ho a casa».

«Allora vada a prenderla. Mi serve».

«Ecco, parlando di rompere le scatole…».

«Nel mentre io andrò a fare gli auguri al nostro buon Felipe, di sicuro ne sarà lietissimo».

Udire le imprecazioni di Garzón che si allontanava lungo il corridoio mi fece una certa tenerezza. Ma non era il momento di perdersi in sentimentalismi: che si cominciasse a intravedere un po' di luce in fondo al tunnel non mi autorizzava ad abbassare la guardia. Accidenti alla principessa Umberta! Se si era messa a riciclare denaro sporco a spese dei bambini autistici doveva avercene di pelo sullo stomaco. Immaginai la bomba che sarebbe scoppiata sui giornali.

Il nobile rampollo accettò un appuntamento e mi ricevette con la sua caratteristica amabilità. Aveva ancora il volto contristato per la tragedia, ma dal suo atteggiamento traspariva una rassegnata accettazione della fatalità.

«La risoluzione del caso non mi restituirà mia madre, ispettore. Ma sapere di aver fatto tutto il possibile per trovare il colpevole forse mi farà sentire meglio. E poi, lei capisce, una patina di discredito finisce sempre per appannare il buon nome di chi è vittima di un delitto come questo, e vorrei che la memoria di mia madre restasse assolutamente libera da ombre».

Allora ne vedrai delle belle, caro mio, dissi tra me e me, e immediatamente decisi di tacergli le rivelazioni della filippina.

«Sua madre era bravissima nel suo lavoro, non è vero?».

«Era incredibile! Aveva tirato su la fondazione quasi dal nulla e la faceva andare a gonfie vele».

«Lei sapeva come riusciva a raccogliere fondi così cospicui?».

«Come si fa abitualmente. Sapeva conquistarsi soci sostenitori nelle grandi aziende e tra i privati grazie alla sua straordinaria capacità di persuasione. E poi organizzava gli eventi tipici di questo tipo di associazioni: cene, incontri culturali, recital di cantanti di fama che accettavano di esibirsi per una buona causa…».

«Capisco. E i risultati ottenuti sono stati notevoli».

«Certo, e di grande valore per la collettività. Il più importante è stato la creazione di un centro diurno per bambini autistici».

«Sarà costato un capitale».

«È un centro molto avanzato, un'eccellenza sul nostro territorio, dotato delle migliori attrezzature e degli specialisti più preparati. È costato un capitale, effettivamente, ma lei ce l'ha fatta. Nessuno immagina che cos'ha perso la città per colpa di tanta vigliaccheria».

«E lei era al corrente dell'andamento contabile della fondazione?».

«Certo. In quanto socio sostenitore ricevo un regolare rendiconto mensile».

«Le spiacerebbe farmene avere una copia? Mi basterebbero gli ultimi due anni».

«Ma lei ha già i libri contabili».

«Sì, certo, i miei colleghi li stanno analizzando; ma vorrei anche i rendiconti inviati ai soci. E, possibilmente, una lista degli investimenti. È una pura formalità».

Andò lui stesso a fare le fotocopie nell'ufficio deserto, e in meno di un quarto d'ora i documenti richiesti erano sul tavolo. Li infilai nella borsa, e preparandomi a uscire lasciai cadere con perfetta indifferenza:

«A proposito, il giudice che istruisce le indagini sentirà al più presto la domestica di sua madre».

«E per quale motivo?».

«Non lo so. I giudici hanno la facoltà di convocare i testimoni senza rendere conto a noi. Immagino che ci farà avere gli atti. La terrò informata».

«Gliene sarei riconoscente, ispettore».

Santo cielo, non sopportavo di dovergli mentire, ero sempre più convinta che quel tipo non sapesse un bel niente delle attività della nobilissima signora madre. Ma non potevo permettere che il nostro principale alleato si tirasse indietro solo per proteggere la memoria di santa Umberta.

Sulla via del ritorno risalii la corrente dei barcellonesi impegnati a fondo nello shopping. La folla che entrava e usciva dai negozi sembrava imitare i movimenti di certi insetti, api, forse, o formiche. Anch'io in realtà avrei dovuto pensare ai regali dei Re Magi: libri e film per i gemelli, libri e bambole per Marina. Meglio evitare gli aggeggi elettronici, per quest'anno.

La prima cosa che feci una volta rientrata in commissariato fu consegnare il malloppo di fotocopie a Sangüesa. La seconda fu mettergli una fretta dannata perché facesse immediatamente un raffronto con i libri contabili. La terza, uscendo dal suo ufficio, fu imbattermi in Garzón che se ne arrivava bel bello dondolando un sacchetto a motivi natalizi.

«Qui dentro ci sono i resti del mio presunto regalo» mi disse contraddicendo le mie irritate deduzioni. «Lei crede che me lo ridaranno?».

«Se risolviamo il caso, forse sì».

«Be', allora, fosse solo per questo, mi ci metterò di buzzo buono. Prima però le propongo una birretta per dare una botta all'ispirazione».

«D'accordo, ma non alla Jarra de Oro. Portiamo questi reperti al negozio da cui provengono così gliela offro lungo la strada».

Barcellona è sempre molto euforica nei giorni che precedono il Natale, come immagino lo siano tutte le città del mondo occidentale. Ma basta cercare qualche piccola oasi fuori dei percorsi più battuti e tutto cambia. Quel mattino la folla, in balia della sua furia consumistica, doveva essersi riversata unicamente nelle zone con maggiore concentrazione di negozi, e in certi angoli del Barri Gòtic, malgrado la magnifica giornata, non c'era quasi nessuno. Scegliemmo un tavolino in una piazzetta soleggiata e ordinammo due semplici birre. Il primo sorso è sempre insuperabile, come dice quello scrittore francese. Deposto il bicchiere, Garzón sospirò con aria pensierosa.

«Lei crede che il buon Felipe sapesse quel che combinava la sua egregia madre?».

«Io credo fermamente di no».

«Che roba! Eh, Petra? Noi ci facciamo gli affari nostri tranquilli e beati mentre altri, intorno a noi, vivono cose che non riusciremmo neanche a immaginare. Neanche fossero di un altro pianeta! Prenda questa tizia, per esempio: una principessa italiana che si dà alle opere di bene, ma che contemporaneamente entra in contatto col mondo del crimine organizzato! Che bisogno c'era, mi domando? Era una signora di una certa età, era ricca, aveva una famiglia…».

«Sì, tutti siamo molto diversi gli uni dagli altri, ma in fondo siamo mossi da impulsi molto simili. Umberta si era vista crollare il mondo addosso alla morte di suo marito, e avrà voluto dare un senso alla propria vita prima che toccasse anche a lei scomparire. Quanto alle sue attività illegali, non so. Nemmeno io capisco cosa potesse farsene di altri soldi».

Lui rimase zitto, bevve la sua birra. Mi guardò con l'intensità delle occasioni importanti.

«Senta, Petra, anche lei fa delle cose per dare un senso alla sua vita?».

«Ma certo».

«Come per esempio?».

«Come per esempio il nostro lavoro. Penso che abbia un'utilità maggiore che vendere balocchi e profumi o vivere di rendita. Non le pare? Contribuiamo a sradicare il male dalla società, o così almeno dice la teoria. Lavoriamo per uno scopo, non solo per ricevere un salario».

«Sì, è vero».

«Non ci aveva pensato?».

«Forse sì, ma non immaginavo che questo servisse a dare un senso alla vita. Io, sinceramente, non mi sono mai posto il problema. Non vedo perché cercare un senso: ci sei, sei vivo, e tutto viene da sé».

«È probabile che il suo modo di vedere sia molto più intelligente del mio. Però adesso andiamo, Fermín. Speriamo che quel decerebrato del negozio riesca a capire chi può aver messo le mani sul suo telefono».

«Il mio telefono? Il telefono che non è mai stato mio, vorrà dire!».

Il ragazzo con i capelli a porcospino mi riconobbe subito.

«Credevo si fosse dimenticata» disse. «Vedo che è tornata con suo marito».

«Non è mio marito, è un collega» risposi con poco garbo. Presi il sacchetto dalle mani di Garzón e glielo misi davanti. «Qui c'è la scatola e tutto quanto. Fammi la cortesia di scegliere quel che ti serve e fare le verifiche che ti ho chiesto».

Lui, con sovrana lentezza, andò estraendo dal sacchetto un pezzo per volta: la scatola, il libretto delle istruzioni, una busta contenente dei documenti, e infine il nastro e la carta da regalo che avvolgeva il tutto.

«E questa roba cos'è?» saltò su in malo modo. «Non

è la carta che usiamo noi. E nemmeno il nastro. Ci assomiglia, ma non è la stessa cosa».

Aprì un cassetto sotto il bancone e tirò fuori un foglio di carta nera a piccoli pois dorati. Lo posò accanto all'involucro stazzonato che aveva portato Garzón, nero anche quello, ma stampato a minuscoli quadratini.

«Vedete?».

Guardai Fermín.

«Questa è la carta che avvolgeva il pacchetto» disse. «L'ho aperto, poi l'ho ripiegata e l'ho messa nel sacchetto. E lì è rimasta fino a questo momento».

Guardai il porcospino:

«Sei sicuro che non ci fosse dell'altra carta in negozio, qualche giorno fa?».

«No, guardi, è sempre la stessa».

«Forse la tua ragazza ne aveva scelta un'altra».

«No, la mia ragazza...».

«Ah, certo, lei spolvera soltanto».

Uscimmo di lì in assoluto silenzio. Sapevamo entrambi il da farsi. Uno solo era il posto dove poteva essere avvenuta la sostituzione.

L'ispettore Tomelloso non la prese affatto sul ridere. Mi guardò con apprensione:

«Proprio non ti capisco, Petra. Non so cosa vuoi dire».

«Voglio dire che quel famoso messaggio sul telefono è stato scritto per forza in casa tua. Non è possibile che qui in commissariato, con tutta la gente che va e viene a ogni ora del giorno, qualcuno abbia aperto il pacco e sia intervenuto sull'apparecchio. Che età hanno le tue figlie?».

«Otto e cinque anni».

«E che lavoro fa tua moglie, Tomelloso?».

«È ragioniera e lavora in un grosso studio di commercialisti».

«Dovrai dirle di venire in commissariato».

«Va bene, Petra, gliene parlerò».

«No, scusami, devi chiamarla adesso. Dobbiamo parlarle immediatamente».

«Lei sarebbe implicata?».

Gli posai una mano sulla spalla. Capivo che era sbalordimento, più che paura, quel che provava in quel momento.

«Falla venire. È meglio se parliamo con lei».

Lui mi guardò angosciato e annuì. Prese il cellulare e chiamò.

«Margarita, sai, vogliono parlare con te in commissariato. No, scusa, dovresti venire adesso... Forse non ci siamo, Margarita, ho capito che stai facendo il tacchino, ma molla tutto e vieni subito qui».

Era sbiancato. In un attimo la sua faccia si era riempita di rughe. Chiuse la comunicazione e restò lì con lo sguardo perso.

«Sarà meglio che tu non sia presente durante il colloquio. Però non devi preoccuparti. Ci sarà sicuramente una spiegazione».

Interrogare la moglie di un collega non è certo un piacere, specialmente se non sai cosa può venirne fuori. Margarita era piccolina, sottile, poco appariscente. Una donna normalissima, vestita con pretese di eleganza. Ci guardava senza saper cosa fare. Si vedeva che lottava per tenere a bada l'imbarazzo. Chiese di suo marito, le dissi che sarebbe venuto più tardi. Si sedette, rifiutò il caffè offerto da Garzón. Per me fu chiaro che dovevo passare immediatamente all'attacco.

«Vuole dirmi in quali rapporti era con la principessa Umberta de' Teodosi, Margarita?».

Lei arrossì fino alle orecchie, spostò lo sguardo, si schiarì la gola, ma la voce non le usciva. Alla fine disse:

«Era una cliente dello studio dove lavoro. Seguivo la sua contabilità».

«C'è qualcosa che sente di doverci dire, Margarita?».

Lei portò bruscamente una mano al volto, coprendosi gli occhi. Aveva cominciato a piangere silenziosamente. Garzón ed io ci scambiammo un'occhiata di allarme, augurandoci che si calmasse. Dopo un istante, farfugliò:

«L'ho scritto io quel messaggio. Non sapevo come avvertire la polizia. La principessa era entrata in contatto con gente che non mi piaceva, una società che depositava forti somme in una banca svizzera usando come tramite la fondazione. Provenivano da traffici illeciti, ne sono sicura».

«E perché non l'ha denunciata? Suo marito è un poliziotto!» sbottò Garzón.

«Temeva di perdere una buona cliente, vero, Margarita?» risposi io per lei.

«Ben più di questo, ispettore. Se avessi denunciato una cliente avrei perso il lavoro. E non solo, mi sarei fatta terra bruciata intorno, non avrei lavorato mai più! Ma proprio perché sono la moglie di un poliziotto non avevo la coscienza tranquilla».

«E allora perché non ha scritto una banalissima lettera anonima?» chiese il viceispettore con una punta di risentimento personale.

«Voi avreste dato retta a una banalissima lettera anonima? Quando mio marito mi ha parlato del regalo per un collega, ho pensato che quella potesse essere una soluzione. È stata un'idea stupida, lo so, ma almeno mi avrebbe fatta sentire a posto».

«Ha aperto il pacco e l'ha rifatto tale e quale?».

«Ci siete arrivati perché la carta era diversa? Lo sapevo! Ma non avevo molto tempo e non sono riuscita a trovarne una identica».

«Fin qui va tutto benissimo, Margarita; solo che quattro giorni dopo la principessa è stata uccisa».

«E che cosa potevo farci io?».

«Quello era il momento di parlare!».

«Ma io non c'entro per niente. Non ho neppure idea di chi sia stato».

«Questo è possibilissimo, però così si è resa complice di un delitto».

«Come? Ma ci mancherebbe altro! Io indirettamente vi ho informati di quello che sapevo, e non conosco affatto chi ha ucciso la principessa. L'avevo anche avvertita che quello era un gioco pericoloso, e lei non ha voluto darmi retta».

«O forse sì, e per questo l'hanno ammazzata».

«E che cosa potevo farci? Sarò stata una vigliacca, un'egoista, dica quello che vuole, ma non sono un'assassina. Ho cercato di avvertirvi senza rovinarmi la carriera. Non riesce a capirlo, ispettore?».

«E che cosa sa di questa fantomatica società che era in rapporti con la principessa?».

Rimase zitta, guardò il soffitto. Questo mi mandò su tutte le furie.

«Continua a volerli coprire anche adesso?».

«Ma io ho solo un indirizzo di posta elettronica, nient'altro».

«Ci dia quello».

Naturalmente non lo aveva con sé, e Garzón dovette accompagnarla nel suo studio. Come minimo avrebbe dovuto rispondere di intralcio alla giustizia.

A me rimase l'ingrato compito di informare l'ispettore Tomelloso della bizzarra «collaborazione» di sua moglie. Ammetto che ero curiosa di vedere come avrebbe reagito. A tutta prima, com'era prevedibile, rimase senza parole. Poi si indignò:

«Ma è ridicolo! È assurdo! Come fa una donna adulta, una professionista, una madre di famiglia, una persona seria... a farsi venire un'idea così contorta, così demenziale?».

«Pensava che potesse essere più efficace di una semplice lettera anonima».

«Ma è una cosa da pazzi, e per di più non corrisponde alla sua personalità! Margarita è una donna di buon senso».

«A volte le persone di buon senso ricorrono all'immaginazione in modi che nessuno si aspetterebbe».

«Ma, Petra, ti rendi conto di che cosa stiamo parlando? Di un messaggio su un telefono regalato per Natale, di lettere anonime... Perché prima non ne ha parlato con me? Perché? Sono suo marito o no? Non si fidava?».

«Temeva per il suo prestigio, per la sua carriera».

«Voi donne siete fissate con questa storia della carriera! Se mai io avessi messo in pericolo il mio matrimonio in nome della mia fottuta carriera, tutti avrebbero detto che ero un grandissimo stronzo; se invece lo fa una donna, allora bisogna capirla, poverina, si giustifica tutto. Ma dove siamo andati a finire?».

«Chi ha messo in pericolo il matrimonio? E come? Adesso stai esagerando...».

«Riderà di me tutto il commissariato!».

«Nessuno deve per forza saperlo».

Mi guardò con un filo di speranza.

«Tu credi?».

«Parlerò io col commissario. La cosa verrà trattata con la massima discrezione e puoi stare sicuro che nessuno dei colleghi si prenderà la briga di andare a leggere gli atti».

Si tranquillizzò. E quando se ne fu andato mi ritrovai a meditare sulla stranezza dei casi della vita, che ti portano a prendere le difese di persone che pochi minuti prima avevi messo alle strette. Eppure, che ci vogliamo fare, tutto è relativo, come ha dimostrato Einstein con la sua dannata formula. Gli uomini, pensai, temono il ridicolo più del diavolo l'acqua santa, più di un divorzio, più di una menzogna, più del tradimento in sé e per sé. L'uomo appartiene al gruppo, mentre la donna appartiene solo a se stessa e a quelli che lei lascia entrare nella sua intima cerchia.

Rimasi seduta alla scrivania, appoggiai la testa sulle braccia e, quasi all'istante, mi addormentai. Con quell'enigmatica storia del regalo di Natale erano giorni che non mi facevo un sonno come si deve. Per fortuna mio marito era in montagna con i ragazzi e non dovevo sorbirmi le sue amorevoli raccomandazioni: «Dovresti avere più cura di te, cara, dovresti riposare di più, dovresti mangiare in modo decente, imparare a mettere ogni tanto il lavoro da parte». I consigli degli altri sono una gran rottura di scatole e servono solo a dimostrarti che c'è qualcuno che si preoccupa per te. Certo, è molto più elegante riceverli da chi ti ama che doverseli dare da sé. È orribile che sia la tua prudente voce interiore a dirti che devi «mangiare in modo decente». Ti senti una vecchia ciabatta egoista, mentre se non mangi in modo decente quando qualcuno te lo ricorda, ti trasformi in una ribelle capace di morire per il suo eroismo sul lavoro.

Mi strappò a quel dormiveglia filosofico una manaccia sulla spalla. Nel mio stato di semincoscienza credetti che fosse Garzón, data la rudezza del procedimento. Ma aprendo gli occhi scoprii di avere davanti l'ispettore Sangüesa.

«Dormivi, Petra?».

«No, figurati! Mi stavo preparando per il Tour de France».

«Mi spiace, solo che ho scoperto cose incredibili nella contabilità della tua divina marchesa. Ma se ti stavi allenando per il Tour... magari è meglio se ripasso dopo».

Maledizione agli esperti contabili! Al giorno d'oggi senza di loro non si può più fare niente. Sembra che abbiano le chiavi di tutti i segreti.

«Fermo lì, Sangüesa, non te ne andare. Prenditi una sedia e spara».

«Dato che so che a te interessa solo lo spirito generale della questione, non mi sono portato neppure un pezzetto di carta».

«Ti ascolto».

«Sei sicura di essere abbastanza sveglia? Guarda che posso ripassare dopo».

«Per favore, ti prego, ti supplico! Vuoi che mi metta in ginocchio per te?».

«Non sarà necessario. Potrebbe compromettere l'allenamento ciclistico. Il fatto è, Petra, che la contabilità della tua baronessa non ha il minimo senso. Secondo te, cosa fa uno che mette in piedi un'attività per il riciclaggio di denaro sporco?».

«Boh, non lo so, sperare che Dio gliela mandi buona?» dissi, ancora intontita.

«No! Quello che fa è guadagnarci su! Logico, no? Tu metti su la tua impresina, la tua fondazione o quel cavolo che vuoi, in apparenza perfettamente legale, e poi ti prendi la tua fetta del nero che ricicli. Una specie di commissione per il servizio prestato, mettiamola così. È chiaro?».

«Certo, come il sole».

«Bene, invece la viscontessa non faceva così. Lei riciclava fondi neri provenienti da chissà dove, ma tutto finiva nelle casse della fondazione».

«Ne sei sicuro?».

«Quei rendiconti che mi hai dato, quelli che inviava ai soci della fondazione, sono tutti truccati. Lì risulta che quel che riusciva a tirar su veniva da cene, serate danzanti, vendite all'asta di abiti smessi e concerti di cantautori passati di moda, quella roba lì. Ma la realtà è ben diversa. Nei libri contabili le grosse cifre figurano come donazioni di entità che rispondono a sigle sconosciute. Una parte di questi introiti veniva depositata presso una banca svizzera. Stiamo cercando di fare le debite verifiche, ma a quanto pare il conto non è intestato a lei. Il resto finiva nelle casse della fondazione».

«E non ci sarà un altro conto a suo nome da qualche parte?».

«No. Altrimenti non avrebbe potuto pagare religiosamente tutte le fatture delle iniziative che finanziava. La più importante delle quali è un centro diurno per bambini autistici. Ci sono tutte le pezze d'appoggio, non manca niente, e anche le altre realizzazioni della fondazione esistono nella realtà. Quel che non si capisce è come potessero credere, i signori soci, che a forza di aperitivi e serate si potessero fare tanti soldi».

«Dubito che andassero troppo per il sottile. Si fidavano di lei, la lasciavano fare. Il presidente era suo figlio».

«Capisco».

«In definitiva quel che stai cercando di farmi capire è che Umberta era una specie di Robin Hood: toglieva ai ricchi per dare ai poveri».

«Sarebbe così se sotto quelle sigle ci fosse la banca mondiale, ma invece chissà chi ci sta dietro. Avete qualche indizio?».

«Un indirizzo di posta elettronica».

«Noi, attraverso il giudice istruttore, stiamo facendo pressioni sugli svizzeri perché ci facciano sapere a chi è intestato il conto. Qualcosa verrà fuori».

«Speriamo».

«E questo è quanto, Petra. Puoi risalire sulla tua bicicletta».

«Complimenti, Sangüesa, hai fatto uno splendido lavoro. Solo una piccola precisazione: Umberta non era baronessa, né marchesa, né contessa. Era principessa, è chiaro?».

«Ma aveva i suoi anni. E a partire da una certa età le principesse, o diventano regine, o non contano più niente».

Rimasi annichilita a quell'ultima trovata del collega. Sì, forse aveva colto nel segno. Quella principessa bella, bionda, colta, ricca, con una vita di privilegi, sempre ammirata e invidiata, era condannata a essere regina o a non contare più niente. Regina dei Bambini Sfortunati era un titolo che poteva anche andarle bene, e ce l'aveva messa tutta. Solo questo poteva dare un senso alla sua vita, con buona pace di Garzón.

Grazie all'aiuto concesso obtorto collo dalla banca svizzera, e il contributo dei nostri specialisti, prima ancora di Capodanno riuscimmo a stabilire l'identità dei «soci» della principessa. Erano puri avanzi di galera, e implicati nel traffico di stupefacenti, come se non bastasse. Catturarli fu un gioco da ragazzi per i colleghi della Narcotici. C'era da domandarsi come fossero entrati in contatto con la signora. Come l'avessero conosciuta, dove si fossero incrociate strade in apparenza così divergenti. Gli interrogatori condotti dai nostri esperti colleghi, ai quali potemmo essere presenti pur non occupandoci delle questioni relative al traffico di droga, chiarirono come si fosse creato quell'insolito sodalizio. La nobile Umberta, sempre animata dal suo zelo caritatevole, aveva organizzato dei corsi per il reinserimento degli ex detenuti. E a questi corsi insegnava lei stessa. Uno dei partecipanti le aveva raccontato di aver fatto lo spacciatore per certi tizi piuttosto in alto. Il tipo doveva essere simpatico, e nelle loro frequenti conversazioni la principessa si era resa conto di quanto fossero cospicue le somme che si muovevano in quel mondo e aveva capito che uno dei principali problemi era rimettere in circolazione i proventi di quell'infausto commercio. Era stata lei, con cautela e compiendo i passi che le furono prescritti, ad avvicinare i trafficanti e a proporre la sua collaborazione.

«All'anima della principessa! Che coraggio!» commentò Garzón in un impeto critico, o forse ammirativo, le imprese della nostra nobildonna.

Ci volle un certo impegno a strappare una confessione piena ai due loschi figuri, ma rinunciando al veglione di fine anno i nostri abnegati colleghi riuscirono anche in questo. Tutto sembrava chiarirsi come per incanto, finché non venne fuori il movente del delitto, che impresse una nuova svolta alla vicenda. Come mai? Perché il motivo per cui la principessa si era presa quella definitiva botta in testa era la scomparsa di ben seicentomila euro che non erano andati a ingrossare il famoso conto svizzero. Nella cassaforte trafugata, secondo gli assassini, di quei soldi non c'era traccia. In poche parole l'Umberta li aveva fatti sparire senza dare spiegazioni.

«Santo cielo, non è ancora finita» sospirai. Con il caso ormai virtualmente risolto, restava da capire che fine avesse fatto quella valigia piena di banconote.

«Lo dicevo io che non era fatta per questo mondo tanta angelica bontà!» esclamò il viceispettore in uno dei suoi commenti caustico-realistici.

«Non corra, collega. La casa della principessa è stata rivoltata da cima a fondo, e non è saltato fuori un centesimo. E lo stesso è stato fatto con la sede della fondazione».

«Quella è capace di esserseli spesi in modellini di Chanel».

«Ne dubito. Bisognerà consultare di nuovo Sangüesa».

Ma nemmeno il nostro esperto, munito di lente e travestito da Sherlock Holmes, riuscì a trovare traccia contabile di quei seicentomila scomparsi. Dov'erano finite le mazzette che avevano condannato a morte la principessa? O forse, detto in altre parole, chi diavolo le aveva? Perché il mio cuore, malridotto com'era dopo tanti palpiti e tante pene, mi stava dicendo qualcosa.

La sua faccia da bravo ragazzo si alterò un poco quando ci vide comparire proprio il cinque di gennaio, giorno che noi spagnoli consacriamo interamente ai regali dei Re Magi. Ma devo ammettere che il cortese Felipe riuscì ancora una volta a essere impeccabile nella sua amabilità.

«Ispettori, lieto di vedervi. Accomodatevi. Sono emerse novità dagli interrogatori di quei signori?».

A quel punto non avevo nessuna voglia di perdermi in divagazioni di cortesia. Mirai dritto all'obiettivo:

«La somma sottratta da sua madre, ce l'ha lei, vero?».

Lui sussultò come se fosse stato colpito al cuore. Eppure seppe riprendersi. Rispose in modo abbastanza naturale:

«Come, ispettore? Non capisco che cosa intenda dire».

«Finiamola con questa commedia, la prego. È evidente che lei non ha la stoffa del delinquente. Sono sicura che la sua signora madre se la sarebbe cavata molto meglio».

«Ispettore, io... Forse dovrebbe spiegarmi a che cosa si riferisce esattamente».

«Mi riferisco esattamente ai seicentomila euro in contanti che sua madre ha sottratto ai suoi complici. Come lei sa abbiamo trovato gli assassini, che adesso sono dove devono stare. Ma il motivo per cui sua madre è stata uccisa sono appunto i seicentomila euro che aveva pensato bene di tenere per sé».

Cominciarono a tremargli le mani. Si tolse gli occhiali, che nel frattempo gli si erano appannati. Continuai:

«Forse lei conosceva quei trafficanti; forse aveva persino preso accordi con loro perché liquidassero una madre troppo ingombrante. Un delitto spregevole, se mi permette un'opinione, il peggiore di cui un uomo si possa macchiare».

Garzón mi guardava basito. In quel momento il figlio della principessa esplose:

«Lei insinuerebbe che io, per denaro, me la intendessi con gli assassini di mia madre? Basta, ispettore, basta! Le dirò tutto quello che so, ma la smetta di muovere accuse terribili nei miei confronti. Questo non posso permetterlo».

«Se dice la verità, noi siamo disposti a crederle».

«I resoconti che mia madre mandava nel mio ufficio non venivano mai controllati. Perché? Ma perché tutto funzionava perfettamente e non ne vedevo la necessità. Non ci pensavo nemmeno. Finché lei non ha stanziato i fondi per la costruzione del centro per bambini autistici, un'opera davvero faraonica. Lì ho avvertito che qualcosa non tornava, che per quanti sostenitori avessimo, e per quanto fossero generosi, certe somme non erano nemmeno pensabili. Feci io stesso una revisione dei bilanci e mi resi conto che c'erano parecchie lacune, introiti di provenienza dubbia, ingiustificata. I resoconti che mi aveva presentato erano truccati. Parlai con lei, le chiesi spiegazioni, e lei si rifiutò sempre di darmele. Non ebbi il coraggio di denunciarla, però la avvertii con fermezza che quel tipo di attività, di qualunque natura fosse, doveva cessare. Lei me lo promise, e io non volli approfondire».

«Davvero lei non sapeva che quel che sua madre faceva era riciclaggio di denaro sporco?».

«No! E se lei non me lo dice, continuerò a non saperlo».

«Proveniente dal traffico di droga, dottore».

A quel punto lui si portò le mani al volto e si mise a piangere. Continuò tra i singhiozzi:

«Mia madre era una donna molto forte, ispettore, apparteneva a una generazione di donne forti. La fondazione dava un senso alla sua vita. È probabile che abbia chiuso tutti e due gli occhi e si sia lasciata trascinare. Era disposta a fare qualunque cosa pur di trovare quanto serviva per i suoi progetti, qualunque cosa».

«Ma mentre i bambini autistici ricevevano le migliori attenzioni in quel bellissimo centro, molti giovani trovavano la morte per mano degli spacciatori». Mi detestai per aver tirato in ballo un luogo comune così spaventoso, ma avevo fretta di arrivare fino in fondo.

«Non dica così, per favore. Di certo lei non fu mai consapevole di questo aspetto».

«E lei, lei fu consapevole del fatto che i contatti di sua madre con la criminalità organizzata avrebbero finito per costarle la vita?».

Crollò completamente. Scuoteva la testa, senza smettere di piangere.

«Mai, mai, mai! Lo giuro solennemente, a questo non ho mai pensato!».

«E dove sono quei seicentomila euro?».

«Li ho io» mormorò, disarmato. «Meno di un mese fa era venuta da me, voleva parlarmi. Mi ha detto che finalmente tutto quello che non mi piaceva del suo modo di gestire la fondazione poteva considerarsi una storia chiusa. E mi ha pregato di tenerle quei contanti per un anno. Dopo di che li avrebbe versati sul conto della fondazione».

«È evidente che aveva deciso di mettere fine a quella sua maniera disinvolta di accumulare fondi, ma non si è trattenuta dal mettere da parte qualcosa. Questo è bastato per ucciderla. È probabile che non immaginasse neppure di cosa fosse capace quella gente in caso di tradimento».

«Dio mio! Che cosa poteva saperne, lei, che cosa?».

«Perché non si è rivolto prima alla polizia, Felipe?».

«Lei che risposta si dà, ispettore Delicado?».

«Si domandi piuttosto se ciò che stava proteggendo, in realtà, non fosse la sua reputazione, invece di quella di sua madre».

«Lei è ingiusta, ispettore».

«Forse. Ma ora, a stabilire che cosa sia giusto e che cosa no sarà il giudice. Si porti dietro quel denaro, quando la chiamerà a deporre, vedremo se deciderà di credere alla sua versione».

In strada, Garzón, che non aveva aperto bocca fino a quel momento, mi guardò con aria seria:

«La ammiro, ispettore. L'ha fatto a pezzi, ma con molta eleganza».

«È stato l'interrogatorio più retorico e orribilmente patetico che io abbia mai condotto».

«Era quello che ci voleva. Con un tipo così sensibile e beneducato cosa poteva fare, puntargli una pistola in mezzo agli occhi?».

«Forse sarebbe stato meglio, avremmo risparmiato tempo».

«Ispettore, che ne dice, ce la prendiamo la birretta del caso risolto?».

«Anche due, caro Fermín, anche due».

Appena fummo seduti al tavolo della Jarra de Oro, il mio collega si diede alle sue riflessioni a voce alta:

«Assurdo fino a che punto può arrivare la gente solo per dare un senso alla propria vita! E pensi che io, se non me lo avesse detto lei, non ci avrei mai pensato».

«E meno male, Fermín! Questo vuol dire che lei è una persona felice».

«Crede? Chissà, forse sì... Ma lei, Petra, non è felice?».

«Io, Fermín? Solo quando trombo».

«Adesso è lei che va sul pesante, ispettore!».

«Non mi dia retta, collega, pensi piuttosto a coronare la sua felicità ordinando un paio di salamini piccanti».

«Questo sì che dà un senso alla vita, se Dio vuole, il resto sono tutte fesserie!».

«Per una volta, e spero non costituisca un precedente, sono perfettamente d'accordo con lei».

Finiti i salamini mi alzai in piedi e dissi:

«E adesso, si corre».

«Si corre dove, ispettore?».

«Lei li ha comprati i regali dei Re Magi?».

«Ecco, ora che me lo dice, non ho fatto niente».

«Può cominciare adesso, i negozi sono aperti. Io devo comprare una sciarpa di cashmere per il mio amato sposo, e poi un mucchio di libri, giochi e gadget inutili per i ragazzi. E per finire farò irruzione al supermercato e spazzerò via tutto l'immaginabile».

«Io da mangiare ho già comprato».

«Vuol dire che ha preferito il maialino a sua moglie?».

«Detto così sembra un crimine perverso».

«Stia pur sicuro che lo è».

«Ma che cosa compro per Beatriz e per mia cognata?».

«Ah, questo riguarda lei».

«Mi accompagni a scegliere i regali, Petra, sia buona».

«Non ci penso nemmeno. Con queste indagini forsennate non mi è rimasto tempo per niente».

«E a me che cosa pensa di regalare?» buttò lì con perfetta sfacciataggine.

«Niente. Ho già partecipato all'acquisto del telefono».

«Già, però non si sa ancora se me lo ridaranno. Potrebbe almeno regalarmi la sua compagnia nella scelta dei regali».

«E lei, Garzón, che cosa pensa di regalare a me?».

«Io? Questo» disse misteriosamente infilando una mano nella sua cartella e facendo comparire una meravigliosa scatola di dolcetti di marzapane. Attraverso l'involucro trasparente vidi che erano autentiche opere d'arte, uguali identiche a ciottoli di fiume.

«Sono a forma di pietra» specificò. «Come il suo nome e il suo cuore».

Mi misi a ridere, arrossendo dalla contentezza.

«E va bene, viceispettore, va bene! Andremo insieme a cercare quei benedetti regali. Pur di farmi sentire in colpa lei è capace di qualunque cosa, anche di diventare dolce come il marzapane».

«Me ne farà assaggiare uno?».

«Ci penserò».

E così, dicendo sciocchezze e ridendo ci inoltrammo nel bailamme della città, piena di gente come noi che pensava alla famiglia solo all'ultimo momento.

Settembre 2013

Carnevale diabolico

Lo trovarono quando gli ultimi botti del Carnevale stavano già diradando. Seduto, la schiena appoggiata al muro, leggermente piegato da una parte. Era vestito da diavolo, tutto di rosso, e questo attenuava il contrasto della macchia di sangue all'altezza dell'addome. Lo si poteva scambiare per un ubriaco; uno dei tanti. E infatti così era stato. Solo una signora che andava alla messa delle sei, più mattiniera degli spazzini, aveva sentito l'impulso di avvertire i vigili. Quell'uomo non le faceva nessuna pena, le spiaceva solo che il buon nome del paese avesse a soffrire per colpa di quell'immondo Carnevale gay che riempiva le strade di porcherie. Così aveva dichiarato, testuale. «Certa gente non è mai contenta» pensai. Perché invece il comune di Sitges era ben felice della coloratissima festa dell'orgoglio omosessuale che attirava tanti visitatori con la sua musica e i suoi balli nelle strade.

Aspettammo l'arrivo del medico mentre i colleghi della polizia municipale provvedevano a cordonare la zona.

«Lei crede che potremmo almeno togliergli la maschera, ispettore? Gli copre quasi tutta la faccia» mi chiese uno di loro.

«Neanche per sogno! Comunque è di sicuro un uomo di una certa età. Guardi che pappagorgia. E le mani, così grosse e pelose. Ma è bagnato dalla testa ai piedi! Mi domando come mai».

«Di fisico però è molto ben messo» disse un altro agente.

«Perché i froci si tengono in forma, vanno in palestra tutti i giorni, a tutte le età».

Fermín Garzón, che sbadigliava accanto a me senza riuscire a riprendersi dalla levataccia, a quelle parole si svegliò di colpo.

«E a lei chi glielo dice che questo signore era frocio, si può sapere?».

«Ma, viceispettore... è evidente! Secondo lei a una persona normale viene in mente di infilarsi una calzamaglia e venirsene a ballare a Sitges tutta la notte?».

«E a lei chi glielo dice che un gay non è una persona normale? Uno può essere gay e anche essere normale, non crede?».

«Era così per dire».

«E allora cerchi di dire le cose in un'altra maniera! Sarebbe il minimo, per un poliziotto nell'esercizio delle sue funzioni».

«'Sticazzi!» mormorò il giovane agente togliendosi rapidamente dai piedi.

Garzón mi guardò trattenendosi a stento. Avere un figlio gay lo rendeva allergico al minimo commento omofobo, a meno che non fosse lui a permettersi di fare dell'ironia al riguardo, cosa che faceva di continuo e con la massima naturalezza.

«Ne ho fin sopra i capelli di questi sbirretti del cavolo! Avrei fatto meglio a spiegarglielo ben chiaro: "Attento a quello che dici, ragazzo. Io ho un figlio frocio, e non mi è mai passato per la testa che non fosse normale"».

«Santo cielo, Fermín! Non vedo cosa c'entri suo figlio in questa storia. Suo figlio è uno stimato chirurgo a New York, sposato con un tipo stupendo. Sinceramente non me lo vedo ballare conciato da diavoletto a un Carnevale».

«Lei non sa quello che dice, ispettore! L'anno scorso lui e suo marito sono andati a San Francisco per il Gay Pride, e sa cos'hanno fatto? Hanno sfilato vestiti da farfalle. Quante gliene ho dette quando ho visto le foto! Ma non ce l'hanno un po' di buon senso, dico io? E dire che il marito è un giornalista conosciuto. Mica è il caso di mandare all'aria così una reputazione professionale costruita in anni di lavoro!».

«La società di New York è molto aperta, Fermín».

«Più della nostra? In fatto di finocchieria, non ne sono così sicuro. E poi, guardi, per me mio figlio e mio genero possono andare a tutti i Gay Pride che vogliono, ma proprio in costume da farfalla...»

In quei sottili discorsi ci trovarono impegnati il giudice e il medico legale, arrivati praticamente insieme sul luogo del delitto, mettendo a tacere le contraddittorie argomentazioni del mio collega. Quando il medico si chinò sul cadavere e gli tolse la maschera, si erano già radunati tutti i poliziotti e gli operatori sanitari presenti lì intorno. La nostra curiosità fu soddisfatta alla vista di un volto tumefatto dalla morte, brutto, triste e molto ordinario. Il tipo, quasi interamente calvo, doveva avere ben più di cinquant'anni. Nessuna caratteristica particolare, anche se le due linee di kohl che gli orlavano le palpebre gli davano un'aria ancor più grottesca, date le circostanze.

«Dev'essere morto verso le tre o le quattro del mattino» disse il medico. «Verificheremo, ma da come ha sanguinato, direi che si è preso un paio di pugnalate nello stomaco. Tutt'al più ha fatto qualche passo barcollando ed è morto quasi subito. Se avesse camminato di più, o l'avessero trasportato, il sangue avrebbe inzuppato i vestiti. Qualcuno ha idea di come mai sia bagnato fradicio?».

«No».

«Non vi invidio, ispettore. Trovare dei testimoni dopo una notte come questa non sarà un'impresa facile» affermò il giudice. «È stato già identificato?».

«Ancora no».

«Senza contare che di qui può essere passato chiunque. Vi sfido a trovare un indizio minimamente attendibile».

«Sta cercando di farci coraggio?».

«No, non voglio fare l'uccello del malaugurio, ispettore. Solo che riconosco la difficoltà del caso. Se lo risolvete, avrete tutta la mia stima. E ora, per quanto mi riguarda, ho finito. Metto un paio di firme e scappo. Potete portarlo via».

Intervenne il medico: «Le consiglio di allontanarsi, ispettore Delicado. Quando lo infileranno nel sacco non so che cosa ne potrà uscire fuori. Di sicuro niente di carino da vedere o da odorare».

Tanti riguardi nei miei confronti mi sorpresero, ma fui ben lieta di obbedire. Se non ce n'è motivo, perché aggravare gli aspetti più sgradevoli della professione?

Mentre i vigili eseguivano i loro compiti di routine, e i nostri giungevano alla sconfortante conclusione che nei paraggi non c'erano tracce di sangue o altro materiale da raccogliere, Garzón ed io ce ne andammo a far colazione nel primo locale che trovammo aperto. Davanti a un bel piatto di *churros* caldi, gli domandai:

«E allora, da dove cominciamo?».

Mi rispose con un'alzata di spalle, mentre con evidente piacere assaporava il primissimo sorso di caffè.

«Da dove cominciamo sempre. Facciamo colazione tranquilli, poi chiamiamo l'obitorio per farci dire se hanno levato la pelle al diavolo. Però non credo che quel signore ci tenesse anche i documenti, nella calzamaglia».

«In tal caso bisognerà aspettare che qualcuno denunci la scomparsa».

«Certo» mormorò, infilandosi in bocca un *churro* abbondantemente spolverato di zucchero. «In realtà stiamo prendendo tempo perché abbiamo paura tutti e due di quel che ci toccherà fare. Non è così, ispettore?».

«Non voglio neanche pensarci, Fermín. Testimoni! Testimoni di una notte di Carnevale, mentre tutti si davano alla pazza gioia ballando e sbevazzando nelle strade. Torno a ripetere la domanda: da dove cominciamo?».

«Da tutti quelli che possono aver visto o sentito qualcosa dalle case vicine».

«Non basta. Qualcuno può aver visto qualcosa passando di lì. Bisognerà chiedere la collaborazione dei cittadini».

«Ah, no, Petra, per carità, questo no! Lei ha idea di cosa vuol dire? Un mucchio di squilibrati che chiamano per sparare idiozie. Quello che vuole vendicarsi per il chiasso giù in strada e pensa: "Adesso li sistemo io"; quello che vuole giocare a fare il poliziotto e s'inventa le cose più strane; quello che vuol solo farsi ascoltare perché fa una vita da poveraccio. Dia retta: con l'aiuto dei cittadini le possibilità di risolvere un caso si riducono alla metà; che dico la metà, si riducono quasi a zero».

«Lei si fida meno dei cittadini che della lotteria di Natale, Fermín. Ma adesso smetta di rimpinzarsi di *churros* e chiami Sonia e Yolanda. Sarà meglio che vengano immediatamente».

E meno male che ci aiutarono le nostre due agenti. Perché non potevano darsi condizioni peggiori: il corpo non aveva addosso niente che permettesse l'identificazione, nessuno aveva denunciato la scomparsa di un uomo somigliante a quel povero diavolo, e la sola cosa che restava da fare era tentare di stanare qualcuno che avesse visto o sentito qualcosa.

Yolanda, Sonia, Garzón ed io ci sguinzagliammo in un porta a porta assai poco promettente. Nell'ora in cui era stato commesso il delitto, chi era rimasto a casa dormiva o tentava di farlo. L'indomani era un giorno di lavoro come gli altri. Certo nessuno stava a vedere che cosa succedesse giù in strada. Quando già stavamo concludendo il nostro giro, venne a cercarci Yolanda in grande agitazione:

«Ispettori, venite, per favore. Un signore che abita qui, al primo piano, ha qualcosa da dire».

Era un anziano, che viveva solo. Con un umore da cani, e pochissima voglia di collaborare, ripeté quel poco che aveva detto a Yolanda.

«Sì, sono stato io a bagnarlo».

Ci restai di sale. Ma trovai la calma necessaria per chiedere:

«Come? Può spiegarsi meglio?».

«Mica è difficile da capire. Saranno state le quattro e mi sono alzato per andare in bagno. Mentre ero lì che facevo le mie necessità ho sentito gridare in strada. Ho pensato: non hanno ancora smesso di far cagnara, quei disgraziati? Mi son messo la vestaglia per non prendere freddo, ho aperto la finestra e proprio lì sotto ho visto quello seduto a terra».

«E nessun altro?».

«Nessuno. Ho pensato fosse ubriaco, e siccome non ne potevo più, perché non è normale che la gente decente non possa mai dormire in pace, ho riempito un secchio e gliel'ho rovesciato in testa. Così andava a smaltire la sua sbronza da un'altra parte. E se si prendeva la polmonite, sa cosa me ne fregava a me? Bisogna pur fare qualcosa per difendersi».

«Complimenti per la solidarietà» sbottò Sonia, scandalizzata.

«Solidarietà con un ubriacone che dorme in strada?».

Preferii chiudere la questione con una domanda:

«Ha visto scappare qualcuno, qualcuno che si allontanava?».

«No, era solo. Non c'era nessuno».

«E quelle grida che ha sentito, ha capito qualche parola?».

«Ma cosa vuole che capissi, con la finestra chiusa e il sonno che avevo!».

«Era una voce o erano due?».

«Sembravano due: uno parlava più forte, l'altro più piano».

«Uomini?».

«Sì, dovevano essere di quei froci di ieri».

Sentii il viceispettore tendersi come una molla.

«E stavano litigando?».

«Credo di sì. O magari stavano facendo le loro cose, con certa gente non si può sapere».

Successe quel che temevo. Garzón, con un balzo, si mise a due centimetri dalla faccia di quel poveraccio, che immediatamente retrocedette. Barrì come un elefante infuriato:

«E non le è passato per l'anticamera del cervello di chiamare la polizia com'era suo dovere di cittadino?».

Il vecchio tacque, ma con una faccia come se avesse bevuto aceto. Disse:

«Come facevo a sapere che era morto? Per me quello aveva bevuto troppo. Mica è un motivo per chiamare la polizia. Tanto più in una notte di Carnevale».

«È la polizia che decide chi è morto e chi no in questo paese, chiaro? Né il medico, né il prete e nemmeno il padreterno. La polizia e basta! Siamo noi che separiamo il bene dal male!».

Prima che si diffondesse sul ruolo della polizia spagnola nell'Antico Testamento, lo presi per un braccio e gli bisbigliai all'orecchio:

«Lasci perdere, viceispettore, che questo poveraccio ne sa quanto noi».

E questo fu tutto in fatto di testimoni sul luogo del delitto. Ma qualcosa se non altro avevamo ricavato. Nella piccola riunione che improvvisammo dopo la prima giornata di indagini, una frase non faceva che tornare: «Si conoscevano». Se si erano parlati, e avevano litigato prima del delitto, la vittima e l'aggressore si erano già visti. Il fatto che i soldi della vittima fossero rimasti intatti in una tasca e che il corpo non mostrasse segni di colluttazione sembrava avvalorare quest'ipotesi.

Le ragazze erano arrivate alle nove, distrutte dopo aver fatto il giro dei bar del paese in cerca di testimoni. Niente da fare. Restava una sola possibilità: chiedere la collaborazione dei cittadini. E per quanto io nutrissi una profonda fiducia nel genere umano, capivo che Garzón aveva ragione: ci avrebbe travolto una marea di telefonate di perfetti sconosciuti e sarebbe stato difficile capire chi volesse aiutarci e chi volesse solo rompere le scatole. Rassegnata, buttai giù un comunicato stampa, presi accordi con il Comune di Sitges, dove erano allarmatissimi per quel delitto commesso durante una delle più apprezzate kermesse cittadine, e lo diramai ai giornali di Barcellona. Rientrai a casa dopo le dieci.

Quale non fu la mia sorpresa nel constatare che mio marito non era solo, bensì in compagnia dei suoi tre figli più piccoli e in trepidante attesa del mio arrivo. I gemelli, Teo e Hugo, erano vestiti da toreri, tutti e due con una piccola *montera* sulla testa, confezionata con grande abilità, e appeso al collo un cartello con su scritto: «Siamo assassini di animali. Barcellona città anticorrida». Marina invece aveva un costume da principessa tutto tulle e lustrini. Mi saltò al collo e mi abbracciò.

«Hugo e Teo sono arrabbiati con me. Vero che non c'è niente di male, Petra, se voglio fare la principessa?».

«No, figuriamoci! Ci sono principesse buonissime. Ma non tante, sai? Questo devi tenerlo ben presente».

«E tu da che cosa ti sei vestita?» mi chiese Teo.

«Da poliziotto! Non lo vedi? Occhiaie fino al mento, capelli come spinaci, la schiena rotta e una fame che non ci vedo più».

Marcos rise e mi strizzò l'occhio.

«Ti abbiamo tenuto da parte la cena nel microonde. Ragazzi, perché non lasciate che Petra si riposi un po'? Domani le racconterete com'è andata la festa della scuola».

Mi rifiutai di riposarmi a spese della gioia dei piccoli. Mi avevano aspettata fino a tardi, con addosso quegli scomodissimi costumi! Li portai in cucina con me, e mentre mangiavo di gusto la mia cena riscaldata li ascoltai raccontare di quelli della prima B vestiti da fantasmi, mentre quelli della terza A erano tutti mostri sanguinari con i denti da vampiro. Alla fine Teo ruppe l'allegria generale con una delle sue terribili domande:

«Che omicidio c'è stato, oggi, Petra?».

Mio malgrado, risposi:

«Hanno ammazzato un signore vestito da diavolo. Tutto di rosso. Però sia chiaro che non posso dirvi altro».

«Nel campionato di calcio delle scuole una volta è venuta una squadra che si chiamava i Diavoli rossi. Erano tutti vestiti di rosso dalla testa ai piedi» disse Hugo.

«Ma era Carnevale?» intervenne Teo.

«No, mi pare che fosse per fine anno».

«E allora cosa c'entra? Certe volte mi sembri subnormale».

«Subnormale sarai tu, che non giochi neanche a pallone!».

Cominciarono a prendersi a spintoni. Marcos, che sorseggiava pacificamente il suo whisky accanto a noi con un giornale tra le mani, intervenne immediatamente:

«A letto tutti e tre! Vi siete comportati benissimo tutta la sera e non vedo perché dobbiate rovinare tutto proprio adesso».

«Anche io?» disse Marina, sentendosi vittima di una feroce ingiustizia. Ma non furono concesse eccezioni, e anche lei dovette andarsene a dormire.

Marcos capiva all'istante quando un caso mi preoccupava più del solito. E così, quando rimanemmo soli, volle saperne qualcosa anche lui.

«Stai passando guai seri in questa nuova indagine?».

«Ancora no».

«Però ti vedo preoccupata».

«Mi preoccupa Garzón. Ci sono buone ragioni per ritenere che la vittima fosse omosessuale, e lui non fa che prendersela per qualunque stupidaggine venga detta al riguardo. Capirai».

«Per la questione del figlio? Credevo fosse una cosa superata».

«Lo credevo anch'io. Però basta sentire quello che dice per capire che è ancora molto combattuto».

«Be', non ci vedo niente di così grave».

«Questo può portarlo a commettere degli errori».

Marcos mi guardò un po' annoiato:

«Petra, non puoi farti tutte queste idee su quel che deve ancora succedere. Mica stai giocando al biliardo! Se questa palla colpisce quella, e quella colpisce quell'altra, ecco che... tac, esplode il grandissimo problema!».

«Non mi stupisce che tu la veda così. Voi uomini siete incapaci di anticipare i problemi! Se una cosa non succede a un palmo dal vostro naso, allora per voi non esiste».

«Ma perché noi abbiamo bisogno di prove tangibili, prima di entrare in ansia. Il viceispettore ha fatto qualcosa di preoccupante?».

«Stava per prendere a schiaffi un testimone».

«Be', sarà stato un arrogante insopportabile».

«Forse sì, ma era un vecchio che vive da solo».

Marcos pronunciò un'imprecazione sottovoce e mi guardò con affetto.

«Vedi, a me dispiace che tu ti preoccupi inutilmente. Garzón è adulto ed è una persona di buon senso. Ma soprattutto non voglio che tu ti preoccupi prima di andare a dormire perché poi ti giri nel letto tutta la notte e tieni sveglio anche me».

«Sei un prodigio di sensibilità!».

Feci il gesto di inseguirlo, e lui fuggì ridendo. Il senso profondo delle nostre due professioni era radicalmente diverso: lui pensava a disegnare luoghi dove la gente potesse vivere e lavorare, io mi preoccupavo della gente solo dopo che era morta. Per questo il suo pessimismo e il mio non sarebbero mai stati sullo stesso piano.

I due giorni successivi furono di un'intensità inusitata. Il referto dell'autopsia arrivò quasi subito, e l'appello ai cittadini sortì un effetto travolgente. Gli aspiranti testimoni si moltiplicarono come funghi dopo una nottata di pioggia. Toccò a Yolanda e Sonia far fronte alla valanga di chiamate, e a cercare di setacciare tutta quella sabbia per trovare qualche pepita d'oro.

L'esame autoptico non riservò sorprese. La prima impressione del medico legale si vide confermata: la vittima era stata uccisa in loco, il corpo non era stato trasportato, e il fatto era avvenuto alle tre del mattino. L'unico dato davvero nuovo fu la natura dell'arma: un coltello di grandi dimensioni, molto affilato, che aveva colpito per ben due volte.

Ottenute queste informazioni, un produttivo brainstorming tra me e Garzón alla macchinetta del caffè diede luogo a un'ipotesi più definita: che non solo vittima e aggressore si conoscessero, ma che il delitto fosse premeditato. Nessuno se ne va in giro con un coltello di quel genere se non ha intenzione di colpire. Probabilmente l'assassino aveva cercato la sua preda per tutta la notte, forse in maschera anche lui, per non essere riconosciuto. Al termine della sfilata del Carnevale, aveva atteso che la vittima transitasse in una via più tranquilla e l'aveva avvicinata, già con l'intenzione di uccidere. Garzón ne era sicuro.

«In una notte in cui tutti se ne vanno in giro con i costumi più impensati, non è difficile nascondere un coltello, per voluminoso che sia. Dentro una tunica, se ti vesti da angelo, sotto un mantello se ti vesti da Dracula, e via discorrendo».

«Puoi persino portarlo alla luce del sole» azzardai. «In costume da macellaio, da brigante, da boia, o da Jack lo Squartatore…».

«Santo cielo, ma allora stiamo freschi. Se è così, l'appello alla cittadinanza ci conviene rifarlo: "Si cerca un uomo vestito da assassino"!».

«Meglio di no. Accontentiamoci dell'esercito di testimoni che abbiamo già. Ha visto quanti sono?».

«Non me ne parli. E del movente, che cosa pensa lei del movente?».

«Forse il fatto che la vittima fosse gay può esserci d'aiuto» dissi, temendo le reazioni del mio collega. «Molti omosessuali si muovono in cerchie ristrette dove tutti si conoscono. Questo in genere facilita le indagini. Il movente potrebbe essere una vendetta, un rancore passionale… o anche banali questioni di droga, di debiti».

Le sopracciglia di Garzón si alzarono tutte e due insieme come ballerine sincronizzate. Poi lui annuì col suo testone poderoso e alla fine disse:

«Può essere qualunque cosa. Faccio venire le ragazze?».

«Perché rinviare il peggio?».

Dopo una breve ricerca per gli uffici, il viceispettore tornò in compagnia di Yolanda e Sonia, quest'ultima equipaggiata di un computer portatile che reggeva tra le braccia come un neonato.

Cominciò l'esame di quanto avevano ricavato, che sembrava più una rassegna di casi umani che una rosa di possibili testimoni:

«Ci sarebbe una signora, una certa Ramona Alfaro, che non riesce a dormire: la notte in cui è stato commesso il fatto, siccome la musica la disturbava, è uscita a fare quattro passi e ha notato un uomo vestito da diavolo» recitò Sonia con voce cantilenante.

«E allora?» incalzò Garzón.

«Dice che era molto agitato, che saltava».

«Era da solo?».

«Pare di sì».

«E allora cerca di concentrarti sulle cose importanti, non ci interessa sapere se saltava o faceva le capriole».

Accorsi in aiuto della povera Sonia: «Non dica così, Fermín. Che fosse allegro significa che non era preoccupato da un appuntamento importante, o forse sgradevole, con quello che poi è stato il suo aggressore».

«Mi sembra una deduzione un po' tirata per i capelli, ma può andare. Vediamo il prossimo».

«Carmelo Fernández. Soffre di cuore, e sostiene di avere già visto la vittima al pronto soccorso dell'ospedale di Castelldefels. Secondo lui era un portantino».

«Verificheremo» gracchiò il mio collega. «Ma la logica dice che se la vittima lavorava da qualche parte, il suo capo o i colleghi si sarebbero già accorti della sua assenza».

«Vero» rispose Yolanda. «Ma se non lavorava, allora ci converrebbe rivolgerci all'Ufficio di collocamento».

La cosa era talmente ovvia che mi seccò dovermelo appuntare sul taccuino. Come mai non ci avevo pensato io?

«E poi ci sarebbe un'altra signora» riprese Sonia, «che soffre di dolori alle ossa. Non potendo uscire, ha seguito la sfilata in televisione, ed è convinta di avere visto benissimo la vittima».

«Ma che diamine!» sbottò il viceispettore, che quella mattina era di umore velenoso. «Da dove viene tutta questa gente? Da un lazzaretto? Una soffre d'insonnia, l'altro è cardiopatico, la terza è mezzo acciaccata... Non c'è nessuno che stia bene in quel maledetto paese?».

«La lasci finire» ordinai, sforzandomi di non ridere.

«Ho già finito» sussurrò Sonia, mortificata.

«Ma che schifo! Ecco, lo dicevo io che la collaborazione dei cittadini...».

Yolanda si inalberò:

«Ma cosa vuole che facciamo, viceispettore? Dovrebbe vedere le testimonianze che abbiamo scartato! Un ragazzo ha telefonato per dire che la vittima è precisa e identica a un presentatore della tivù. E una signora di ottantacinque anni è andata al suo commissariato di zona con un ritaglio di giornale dove secondo lei si vedeva il morto».

«E chi c'era nella foto?».

«Il capo del governo. Ditemi voi, con questo panorama...».

«Un momento, un momento!». Cercai di mettere ordine nella confusione generale. «Quel che dovete fare voi ragazze, adesso, è andare all'emittente locale di Sitges. Di sicuro avranno ripreso la sfilata dall'inizio alla fine. Fatevi dare tutto il girato e guardatevelo per bene, scrutatelo con la lente, se necessario, secondo per secondo. Siamo d'accordo? Se davvero la signora con i reumatismi ha visto il morto, lo vedrete anche voi. La sua immagine da vivo può servirci più della sua foto da morto, ai fini dell'identificazione».

Non volevo creare false aspettative, ma l'idea del filmato mi faceva concepire nuove speranze. E se la vittima vi fosse apparsa insieme a qualcuno? E se fosse stata colta mentre faceva qualcosa di significativo?

Le nostre agenti partirono, con un nuovo e noiosissimo incarico. Garzón ed io, invece, ci dirigemmo all'Ufficio di collocamento di Sitges. Fu necessario chiedere al direttore di riunire tutti gli impiegati al termine dell'orario di apertura. Dopo mezzogiorno, quando tutti furono assiepati, venne fatta circolare una fotografia del morto. Con delusione constatammo che via via che la foto passava di mano in mano le teste facevano segno di no. Niente da fare. Il direttore cercò di farci coraggio con precisazioni deprimenti:

«Vi prego di capire che noi vediamo ogni giorno moltissima gente. Da quando c'è la crisi è una processione continua. E poi questo signore potrebbe essere disoccupato da molto tempo, di quelli che ormai non ricevono più alcun sussidio, e neppure sono in cerca di nuova occupazione. Comunque se desiderate consultare l'archivio io sono a disposizione».

«Se sulle schede non c'è una fotografia è perfettamente inutile. Potremmo tutt'al più selezionare qualche nome in base all'età, ma non so se servirebbe».

«Qualche nome, ispettore? Ben di più, ho paura. La fascia d'età più colpita dalla disoccupazione, a parte i giovani, è proprio quella degli ultracinquantenni».

Uscimmo di lì col morale a terra. Se questa era la situazione nel nostro paese, non c'era da stare allegri.

Proposi a Garzón una breve pausa caffè. Subito Garzón fece la sua controproposta, nella quale il caffè figurava a conclusione di un lauto pranzo. Certo, si era fatto tardi, e da ore non mangiavamo nulla. Io potevo anche cavarmela con uno spuntino, ma le necessità del viceispettore non potevano essere ingannate. Ci fermammo davanti a una trattoria piena di gente. Malgrado la crisi, c'era ancora chi si concedeva piatti tipici e vini di qualità. Chiedemmo il menu e ci immergemmo nella lettura con l'attenzione di chi decifra un codice medievale. Fu allora che mi accorsi di quanto appetito avessi. Garzón, una volta fatte le ordinazioni, passò a discorsi frivoli:

«E lei non va a nessuna festa in maschera stasera? Domani il Carnevale è finito».

Stavo per dire automaticamente di no quando la mia mente ebbe un sussulto. Sì, caspita, certo che andavo a una festa in maschera quella sera, in casa di amici di

Marcos, solo che me ne ero completamente dimenticata. Un attacco di irritazione, seguito da un'ondata di ansia, mi lasciarono ammutolita.

«Qualcosa che non va?».

«Diavolo, viceispettore. Non so se ringraziarla o tirarle addosso qualcosa».

«Si può sapere perché?».

«Mi ha ricordato che devo andare a una festa. Mi era uscito di mente. Eppure Marcos me ne ha parlato proprio stamattina».

«Non vedo il problema».

«Che lei non lo veda non significa che non ci sia. Primo: non sono dell'umore. Secondo: non so proprio che cosa mettermi».

«Lei mi perdonerà se le dico quello che penso: alle feste si va per tirarsi su di morale, e quanto a quello che deve mettersi, non so... provi con l'uniforme di gala della polizia. Farà un figurone».

«Ma vuole scherzare? Mi vergognerei come un cane. E lei come si veste stasera?».

«Da maragià. E Beatriz da maragiessa, che poi mi ha spiegato che si dice maharani o una cosa del genere. Abbiamo due bellissimi costumi fatti da una sarta. Il mio mi sta una meraviglia. Vedesse, son pieno di medaglie, e poi ho una gonnella azzurro cielo che mi fa una panza come un baule» disse ridendo. «Beatriz vuole che mi metta anch'io negli occhi quella matita nera da finocchio. Ma su questo non so se la accontento».

«Non vedo cosa ci sia di male, Fermín. Darebbe al suo sguardo un non so che di misterioso» commentai, decisa a evitare discussioni. «Comunque io un costume non posso farmelo fare, non c'è più tempo».

«Ne affitti uno».

«Non ne ho la minima voglia, sa? In realtà non ho nessun bisogno di una maschera per superare le mie inibizioni».

«Certo, lei se ne frega di quel che pensano gli altri».

«Senta, fino a che ora pensa che ne avremo qui a Sitges?».

«Be', adesso ce ne torniamo in ufficio, buttiamo giù un rapportino sui risultati di oggi ed è fatta. Credo che per le sei saremo liberi».

«Mi accompagna?».

«Ad affittare un costume? Lo consideri già fatto! Così potrò consigliarla con il mio fine occhio da stilista».

Andammo da Menkes, un'istituzione a Barcellona in fatto di costumi. Evidentemente non ero stata l'unica a rimandare la scelta all'ultimo momento e il negozio era pieno zeppo. Cominciai subito a innervosirmi, e così quando finalmente una commessa venne a chiedermi che cosa desiderassi le dissi che soprattutto volevo tenermi sul semplice e fare in fretta.

«Noi offriamo una scelta molto ampia. Andiamo da un raffinato costume da Cleopatra a un semplice travestimento da operaio».

«In che cosa consiste quello da operaio?».

«È una tuta blu con cerniera e un casco da cantiere. Suggeriamo al cliente di completarlo con una pietanziera di latta o con un panino avvolto in carta stagnola».

«Ecco, sarà perfetto per me».

Il viceispettore si mise a protestare nel momento stesso in cui la commessa si allontanò in cerca dell'articolo.

«Ma santo Dio, Petra! Come può essere così guastafeste? Povero Marcos! Una bella donna come lei dovrebbe cercare di valorizzarsi».

«Cosa c'è che non va in un operaio? Senza contare che con la disoccupazione imperante in questo paese, avrò perfino un'aria esotica».

Quando mi vidi in tuta davanti allo specchio mi trovai uno schianto. Quella tenuta mi dava un'aria democratica e allegra che mai ero riuscita a raggiungere con il mio tradizionale impermeabile da detective.

Quella sera, quando scesi nel soggiorno vestita e truccata, mi venne quasi un colpo nel vedere Marcos in costume da cowboy. Non si era sforzato molto, così mi confessò, e si era accontentato di qualche vecchio abito rimasto nell'armadio e di un cinturone da negozio di giocattoli. Parve contento di vedermi pronta a salire su un'impalcatura.

«Quindi tu non aspiri a ruoli da principessa come Marina» mi disse.

«Proprio no. Il lavoro nobilita! Anche se non ne posso più del mio. Forse ho scelto questo costume perché segretamente desidero un po' di semplicità e di praticità, viste le complicazioni che mi trovo ad affrontare».

«E allora secondo te perché io avrei scelto il mio?».

«Facile. Perché vorresti essere libero, cavalcare nelle vaste praterie e non avere sposato una donna come me, che non se ne sta in una capanna di tronchi a fa-

167

re il pane ma esce ogni giorno ad affrontare assassini in giro per la città».

Alzò gli occhi al cielo.

«Hai fatto bene a cercarti un costume semplice, tu che hai una mente tanto complicata».

Ci baciammo e uscimmo decisi a passare una bellissima serata. E così fu! Mi divertii più di quanto avessi previsto, fraternizzando con una signora grassa in costume da Arlecchino, un Cupido parecchio in là con gli anni, e uno dei più importanti chirurghi dell'Hospital Universitario vestito come il soprano Montserrat Caballé. Forse è sano cambiare personalità almeno una volta l'anno, giocando a essere quello che non siamo né saremo mai. Bevvi, risi, cantai, ballai… e il giorno dopo ero ridotta uno straccio.

Il mio collega non stava molto meglio. Quando con gli occhi gonfi e la faccia inebetita si lasciò cadere come un sacco sulla poltrona del mio ufficio, credetti che scherzasse. E invece no.

«Sono un maragià morto, ispettore» dichiarò. Reagii. Non era giusto che gli eccessi alcolici delle nostre serate si ripercuotessero negativamente sulle indagini. Mi alzai in piedi raccogliendo le poche forze rimaste e lo spronai senza pietà:

«Ebbene, io ho bisogno di un poliziotto vivo, Garzón. Chi va a prendere i caffè, lei o io?».

«Ci vado io, altrimenti mi addormento».

In quel momento entrò Yolanda come un tornado. Senza nemmeno dire buongiorno, annunciò:

«Ispettori, un testimone, un testimone ha riconosciuto la vittima! Venite, per favore!».

Garzón fece un passo indietro tappandosi le orecchie, come se non potesse reggere la voce acuta della nostra agente. Chiesi un po' di calma, e solo quando Yolanda ebbe ripreso fiato riuscii a capire che nell'atrio c'era un tizio che aveva informazioni attendibili sul diavolo rosso. La pregai di farlo aspettare, mentre Garzón ed io mandavamo giù un'aspirina ciascuno con il caffè. Solo dopo quella pausa terapeutica diedi ordine di far entrare il testimone.

Era un uomo sulla quarantina, alto e atletico, in jeans e giubbotto di cuoio. Ci guardò con molta sicurezza e sedette tranquillamente quando gli dicemmo che poteva accomodarsi. Prima che parlasse, lo avvertii che avrei fatto io le domande. Ci disse il suo nome e la sua professione. Era camionista.

«Il nostro appello è comparso sui giornali un paio di giorni fa. Come mai ha deciso solo oggi di venirci a trovare?».

«Ero fuori col camion, in Germania. Fino a stamattina non ho saputo nulla del delitto».

«Capisco. Conosceva la vittima?».

«Solo di vista. Era un habitué di un bar dalle parti di Sants. La Noche, si chiama. Lì di sicuro sanno chi era». Fece una pausa significativa e andò avanti deciso. «Ci vado spesso quando passo da Barcellona, è un locale gay».

Cercai di non mostrarmi minimamente colpita.

«Può dirci qualcosa di lui?».

«Molto poco. L'ho visto lì varie volte, sempre da solo e seduto al banco. In genere parlava col titolare. Questo è tutto quel che posso dirvi. Non so se può servire».

«Certo che serve. È disposto a firmare la sua deposizione?».

«Sì. Per questo sono venuto immediatamente, anche se ho una notte di viaggio sulle spalle».

«Le siamo molto grati per la sua collaborazione».

«Qualcun altro vi ha accennato a quel bar?».

«No, lei è stato l'unico».

«Me lo immaginavo. Sa cosa le dico, ispettore? Sono voluto venire personalmente perché ne ho fin sopra i capelli di questo modo di fare. Tante storie sull'orgoglio gay, carnevali e sfilate di qua e di là, e poi tutti si nascondono come topi quando è il caso di metterci la faccia, e magari anche nome e cognome. Io non sono come tanti».

«Questo le fa onore» mormorai.

Quando se ne fu andato, Garzón esclamò:

«Un uomo con due palle così!».

«Non so come le abbia, ma di sicuro è una persona per bene».

Il bar La Noche apriva alle sei di sera. Mentre aspettavamo che venisse l'ora, andammo a far compagnia a Sonia che seguiva al computer le riprese fornite dalla tivù locale. Sembrava ipnotizzata. A un certo punto ci fece così pena che decidemmo di darle il cambio perché potesse riposare gli occhi. Visto così, sullo schermo di un ufficio solitario, quel video carnevalesco pareva ridicolo e alieno al tempo stesso. Non facevano che susseguirsi uomini seminudi, altri vestiti da donna con piume e seni posticci, vistosissime drag queen issate sui trampoli... Nel giro di pochi minuti il mio collega esplose:

«Ma che banda di scriteriati! Secondo me non fanno un gran favore alla collettività gay, ballando come selvaggi senza un minimo di dignità. Magari fossero tutti come il camionista che è venuto a trovarci poco fa!».

Fermai le immagini e mi voltai a guardarlo:

«Anche a me piacerebbe che tutti fossero come il camionista di prima, gay o non gay. Ma nel mondo c'è gente di tutti i tipi, nel caso lei non se ne fosse accorto. E poi mi pare che in qualsiasi collettività sia normalissimo ballare come selvaggi a una festa di Carnevale. O vuole farmi credere che lei ieri sera è stato a un concerto di musica classica?».

«Lei si sforza inutilmente di essere politicamente corretta, ispettore. Ma sono tutte storie».

«Assolutamente no. Se volessi essere politicamente corretta non le permetterei di parlare di selvaggi in quel modo offensivo».

Si mise a ridere e così feci anch'io. Riprendemmo a far scorrere il filmato senz'altri commenti.

Alle sei in punto eravamo davanti al bar La Noche, che aveva ancora le saracinesche chiuse. Visto da fuori non aveva nulla di speciale. Decidemmo di fare quattro passi su e giù per l'isolato. Alle sei e dieci vedemmo arrivare una ragazza alta, sulla trentina, che andò dritta verso il bar e si chinò per aprire la saracinesca.

Le lasciammo il tempo di concludere l'operazione e di entrare nel locale.

«Sarà la donna delle pulizie? Il camionista aveva parlato di un titolare, e poi, in un locale gay…».

Un attimo dopo ce l'avevamo di fronte, in un posto poco illuminato ma sistemato con gusto. Si mostrò sorpresa quando la informammo che eravamo poliziotti. Senza altri preamboli, Garzón fece scivolare sul banco la foto del morto. Lei la guardò un po' inorridita, poi, con nostra sorpresa, disse:

«È un cliente? E allora mi spiace, ma vi conviene aspettare che arrivi mio marito. È andato dal medico, sarà qui per le sette. Vi servo qualcosa, intanto?».

«Suo marito?» chiese il viceispettore con incredulità non troppo dissimulata.

«Certo. E abbiamo due figli. Non è detto che i proprietari di un locale gay debbano essere gay anche loro, le pare?».

Garzón rispose con una risatina d'imbarazzo. Cambiò subito discorso.

«Accetteremo due birre, grazie».

«Credevo che i poliziotti non bevessero in servizio».

«È una leggenda metropolitana» mormorò il mio collega, e a scanso di equivoci mostrò il tesserino.

Puntuale, alle sette, il marito arrivò. Lei gli accennò il motivo della nostra presenza e dopo avergli dato un lungo bacio sulla bocca, certamente a nostro beneficio, lasciò il locale. Garzón mostrò all'uomo la fotografia della vittima.

«Lo riconosce?».

«Diavolo!» esclamò lui. «È morto?».

«È uscito anche un appello sui giornali. Non l'ha saputo?».

«No, le dico la verità. Ho orari un po' particolari, passo tutta la notte qui, e la mattina dormo. Non ho tempo di leggere i giornali. Quand'è successo?».

«Dopo la sfilata del Carnevale di Sitges. Qualcuno ci ha detto che era un suo cliente».

«Sì, è vero. Veniva qui, si chiamava Manolo».

«Manolo e poi?».

«Il cognome non l'ho mai saputo. Lo chiamavano Manolo la Roccia, perché era forzuto. Diceva che aveva lavorato per molti anni in una palestra. Ma non mi chieda dove, perché non ne ho idea».

«Il testimone che ci ha detto di averlo visto qui mi ha riferito che stava sempre a parlare con lei. Mi sembra strano che lei ne sappia così poco».

«Vede, ispettore, questo è un bar di quartiere, senza pretese. Ma da quando ho aperto ho fatto in modo che non diventasse un'ultima spiaggia per i disperati. Qui la gente viene, prende qualcosa, incontra chi deve incontrare, e tanti saluti. Non ci piacciono i poveri disgraziati con storie poco chiare, ha capito?».

«No».

«Quello che voglio dire è che quel Manolo era uno che se la passava male, non il cliente che desidero avere io nel mio locale. Ma mica potevo buttarlo fuori, lui veniva come minimo una volta alla settimana. Non credo che agli altri andasse di vederselo intorno. Preferivo intrattenerlo un po', così se ne stava al banco e non dava fastidio.

Prendeva la sua consumazione e se ne andava. Ma non c'era mai molto da dire, era un poveraccio, ripeto».

«Di cosa viveva?».

«Lavorare, non credo lavorasse. Era vestito come capitava e prendeva sempre un whisky, uno solo, e di quello più scadente. Diceva che era stato istruttore nelle palestre, allenatore in una scuola. Tutte balle. Fantasie di un fallito, secondo me».

«Pensa che potesse avere a che fare con qualche traffico di droga?».

«No. Avrebbe vissuto meglio».

«Era sempre solo? Non è mai venuto con nessuno?».

«Mai. E qui dentro non vedeva nessuno, parlava con me».

«E tra le cose che le raccontava, non le ha mai detto dov'era quella palestra dove aveva lavorato?».

«No, mai».

«Nemmeno se fosse a Barcellona o a Sitges?».

«No».

Gli lasciai un numero di telefono, insistendo sull'importanza di chiamarci se gli fosse tornato in mente qualcosa.

«Secondo lei dice la verità o vuole solo evitarsi complicazioni?» mi chiese Garzón uscendo.

«Non lo so. Ma per il momento non importa. Qui non c'è da ricavare molto. Ha capito qual è il prossimo passo?».

«Ho paura di sì. Fare il giro di tutte le palestre di Sitges e pregare».

«Pregare?».

«Pregare che la palestra dove lavorava quel tizio non fosse a Barcellona. Lo sa quante ce ne sono nella nostra amata città?».

«Preghiamo».

A casa trovai ad aspettarmi Marina. Era arrabbiata con me perché negli ultimi giorni non le avevo dato granché retta.

«Non mi avevi detto niente! Tu e papà siete andati a una festa e tu ti sei vestita da operaio!».

«È stata una cosa decisa all'ultimo momento, te lo assicuro. E della festa mi ero dimenticata».

«E perché da operaio? È un travestimento bruttissimo».

«Quale mi sarebbe stato bene, secondo te?».

«Non so, qualcosa di bello. Da hostess, da domatrice di leoni, da ballerina col tutù...».

«E tu perché hai voluto il costume da principessa?».

«Perché mia madre dice che tutti i pizzi, i volant, i fiocchi e le cose che luccicano sono di cattivissimo gusto. Ma a me piacciono! E allora per una volta ho fatto come volevo io».

«Ecco, Marina, il Carnevale è una festa molto speciale perché ciascuno può fare come vuole. Ci sono persone, come te, che vogliono sentirsi belle come principesse. Ce ne sono altre che non vogliono sentirsi più belle o più eleganti, ma solo partecipare alla festa, divertirsi, far ridere. Capisci?».

«Sì» disse lei senza la minima convinzione. Per farle passare la delusione mi venne un'idea.

«Lo sai Marina che cosa possiamo fare? Va' a prendere i tuoi colori e un bell'album e ci mettiamo tutte e due in cucina a disegnare il vestito da principessa più bello che riusciamo a farci venire in mente».

L'iniziativa ebbe successo. E così, mentre aspettavamo suo padre e i gemelli, ci lanciammo in una festa pittorica di falpalà e crinoline. Ma la gioia durò poco, perché Sonia mi chiamò al cellulare. Nella sua voce si sentiva un gran timore di disturbarmi:

«Vede, ispettore, in pratica io non volevo chiamare, perché magari quello che le devo dire può aspettare fino a domani, però se poi...».

«Forza, Sonia, dimmi».

«Nei filmati di Sitges io la vittima l'ho vista, e non era da sola. Credo che forse dovrebbe venire a vedere anche lei».

«Vengo. Avverti tu il viceispettore».

Marina alzò di scatto la testa dal foglio:

«Te ne vai?».

«Non prima che torni tuo padre».

«Ma se sei appena arrivata! Rimani ancora un po', dài».

«E a te piace il Carnevale? Lo sai cosa significa davvero questa festa? Significa che bisogna approfittare del momento presente senza pensare al domani! E il nostro momento presente è che stiamo disegnando. Quindi continua e non ti preoccupare».

Continuammo per altri dieci minuti, finché sentii aprirsi la porta d'ingresso e mi alzai. Marina mi guardò malissimo, ma cosa poteva capirne alla sua età del *carpe diem*? Assolutamente niente. E non volevo certo prendermi la responsabilità di spiegarglielo.

In commissariato non c'era più anima viva. Il turno di notte era tranquillissimo. Garzón sbuffava, convinto che le immagini trovate da Sonia non valessero la sua serata davanti alla tivù. Nel filmato si vedeva benissimo la figura di Manolo, tutto rosso nel suo costume da demonio, che saltava tra la gente. A un certo punto entrava in campo un uomo che gli si avvicinava e sembrava parlargli per un attimo. Poi il nostro lo seguiva e i due sparivano dall'inquadratura. La ripresa risaliva alle tre meno un quarto, una quindicina di minuti prima che la vittima diventasse tale. Era quindi lecito azzardare, con quasi assoluta certezza, che l'uomo nel filmato fosse l'assassino. Garzón era entusiasta.

«Bravissima, Sonia, complimenti! Davvero magnifico. Ma tu sai come funziona quest'affare?».

La ragazza arrossì come un ravanello.

«Certo che so come funziona. Cosa vuole che faccia?».

«Torna indietro e rimandalo avanti più lentamente».

Rivedemmo tutta la sequenza, che durava pochi secondi.

«Si può ingrandire?».

«Sì, ma solo sull'immagine ferma».

Fece scorrere di nuovo indietro. Fermò. Ingrandì. Vedemmo quel Manolo, con quasi tutta la faccia coperta dal cappuccio del costume. L'altro uomo, a giudicare dalla corporatura e dalla calvizie, doveva avere più o meno la stessa età. Non era in maschera. Purtroppo era di spalle e solo per un istante, verso la fine, se ne intravedeva il profilo.

«Tornaci sopra e blocca!» chiese il viceispettore.

Naso prominente, occhiali, capelli brizzolati, un po' di pancia. Un uomo dall'aspetto normalissimo, come ce ne sono a migliaia in tutta la Spagna. Vestito in modo sportivo ma con una certa distinzione. L'impermeabile avrebbe potuto nascondere l'arma del delitto. Cercammo di osservare meglio la vittima. Bloccammo fotogramma dopo fotogramma. All'inizio il nostro diavolo era tutto preso dai suoi salti. Poi, quando l'uomo si avvicinava, il suo comportamento cambiava. Chiesi ai colleghi:

«Che effetto gli fa vedere quel tipo, secondo voi?».

Mandammo avanti e indietro il filmato più volte.

«Non sembra spaventato» disse Sonia.

«Ma nemmeno contento» concluse Garzón.

«Lo riconosce?» chiesi.

Era difficile azzardare una risposta. Ci provai da sola.

«Forse non l'ha mai visto prima».

«Eppure lo segue senza dare segni di allarme o di diffidenza» rispose il viceispettore.

«Non sappiamo che cosa si siano detti».

«Sarà stata un'avance?».

Mi strinsi nelle spalle.

«Può darsi».

«Mi sembra un modo un po' strano di rimorchiare» disse Sonia, e non aveva tutti i torti.

«Non gli starà offrendo qualche sostanza, o chiedendo se ne ha?».

«Chi può dirlo».

A quel punto ci conveniva chiudere la seduta e andare a casa. Difficile ricavare altro da quelle immagini. Era il caso di rimetterci al lavoro l'indomani a mente fresca. Chiesi a Sonia di cercare uno specialista in lettura del labiale. Forse, se fossimo riusciti a sapere qualcosa di una metà di quella conversazione, avremmo intuito l'altra metà. C'era lavoro anche per Garzón. Avrebbe consultato i colleghi dell'antidroga. Chissà che non conoscessero il morto, oppure l'altro signore che lo aveva interpellato.

Quando rientrai a casa tutti stavano dormendo. Andai a versarmi un bicchiere di latte in cucina e vidi che la mia compagna di pittura aveva affisso allo sportello del frigo la sua principessa, bardata come una Madonna in processione. Sorrisi, ma non ero di buon umore. Quel caso, in cui non c'era verso di identificare la vittima, aveva un sentore strano, che non sapevo a che cosa attribuire. Manolo era stato vittima di un crimine passionale? Mi era difficile credere che un tipo come quello e il signore che gli si avvicinava nel filmato fossero capaci di grandi passioni. Cercai di dormire.

Alle nove del mattino tutti avevano già fatto i loro compiti. Garzón era in grado di dirci che all'antidroga nessuno aveva mai visto il nostro Manolo, e nemmeno riconoscevano il suo amico. Sonia arrivò con un giovane ispettore che leggeva le labbra con la stessa facilità con cui chiunque di noi legge i titoli del giorna-

179

le. Gli mostrammo le immagini e subito, malgrado la scarsa nitidezza, lui tradusse:

«"Salve, è lei?". "Sì, chi le ha detto di me?". "Va bene, vediamo". E basta. Non dice altro».

Mi sforzai di comporre il rompicapo nella mia testa. Garzón sentenziò:

«Quell'uomo sapeva come si chiamava la vittima».

«Sì, e gli ha offerto qualcosa. Ma che cosa? Soldi, sesso, droga?».

«Quell'uomo non ha l'aria di uno spacciatore» disse giustamente Sonia.

«Ma se vogliamo, nemmeno del gay che cerca di agganciare qualcuno a una festa» replicò Garzón.

«Io direi piuttosto che ha l'aria di un signore borghese, uno che ha una piccola impresa, magari, un benpensante, niente che possa interessare al tipo vestito da diavolo» sentenziò il lettore di labbra.

«Grazie di tutto» preferii concludere, e mi voltai verso Garzón. «Faccia stampare ciascun fotogramma del filmato, viceispettore. La aspetto nel mio ufficio».

Quando comparve con il materiale, ci mettemmo a studiarlo attentamente.

«Non prenda impegni per stasera, Fermín. Alle sei andiamo con le foto di quest'uomo al bar La Noche».

«Ma se la vittima non lo conosceva, cosa ce ne...».

Lo interruppi con scarsa gentilezza:

«È l'unica pista che abbiamo, l'unica, Fermín! Quindi, o mangiamo questa minestra, o non si fa più niente».

Vedemmo arrivare il proprietario da lontano. Non parve molto sorridente. Ma chi sorride quando vede comparire per la seconda volta la polizia? Aprì il locale, ci fece attendere un attimo mentre accendeva le luci, e ci invitò ad accomodarci al banco. Servì due birre senza nemmeno domandare.

«Ci sono novità?» disse, cercando di mostrare una verosimile curiosità.

«Abbiamo qui delle foto che vorremmo lei vedesse. Magari conosce questa persona. La pregheremmo di fare molta attenzione perché l'immagine non è nitida».

Cominciammo dalla prima foto. La sua faccia accusò il colpo quando vide Manolo. Ne approfittai per specificare:

«Un quarto d'ora dopo era morto. Quindi è probabile che l'uomo con cui lo vedrà parlare qui sia il suo assassino».

Deglutì, si aprì una birra anche lui, bevve.

«Fa impressione vederlo ancora vivo sapendo che subito dopo l'hanno ammazzato».

«Capisco bene quello che vuol dire».

Arrivammo all'immagine dello sconosciuto: di spalle, di profilo. Il padrone del bar ci si soffermò a lungo. Si strofinò gli occhi con la mano. Trattenni il respiro.

«Ispettore, non so che importanza abbia se l'ho già visto o no, e poi... e se mi sbaglio? Non è che qui si veda molto bene».

«Qualunque cosa ci dica potrebbe aiutarci nelle indagini. Non accuserà nessuno direttamente, e se non è sicuro, sapremo tenerne conto».

«Ecco, io giurerei che questo tizio è venuto qualche volta nel mio locale. Un paio di volte, non di più. Ma me ne ricordo perché una sera è rimasto finché Manolo non se ne è andato e poi è venuto da me e mi ha chiesto come si chiamava. Gli ho risposto che non lo sapevo, per non avere guai. E lui ha detto che non importava, che lo aveva confuso con un attore. Pensi. Confondere il povero Manolo con un attore! Come le posso dire? Non ci ho creduto. E poi mi era parso un po' strano che quel signore fosse passato di qui. Qui viene gente di tutti i tipi, non creda, ma quello aveva un'aria così…».

«Perbenista?».

«Ecco, forse. Molto da padre di famiglia, da uomo tutto d'un pezzo che non fa mai niente di strano. E non è che non ne abbia di padri di famiglia tra i miei clienti, ma diciamo che la sera, quando vengono al bar, magari si mettono addosso qualcosa di un po' particolare, che ne so, o magari è l'espressione, trovano sempre il modo di far capire come sono in fondo all'anima. Quel signore, invece… era così serio».

Che dicesse «in fondo all'anima» mi affascinò. Uscii di lì con il viceispettore più confusa di quando ero arrivata. Dunque l'assassino era andato in cerca della sua vittima. Voleva accertarsi bene chi fosse. L'aveva seguita, aveva cercato l'occasione giusta. Doveva essere stata una di quelle vendette che si servono fredde.

«Una vendetta così tremenda su un tipo che non conosceva?».

«Non mi chieda niente, Garzón. Ne so quanto lei».

«Era una domanda retorica».

«E allora tenga la retorica per sé».

«Come mai quest'attacco di cattivo umore?».

«Lo capirà subito. Chiami Yolanda e Sonia. Bisogna fare il giro di tutte le palestre di Sitges. E anche di quelle vicine all'uscita da Barcellona per Sitges. Se non identifichiamo la vittima non arriviamo da nessuna parte».

«Ma Sonia sarà stanca morta».

«Lo saremo anche noi quando avremo finito con le palestre».

«Ispettore, ma non finiremo mai!».

«Ecco, ha già capito perché sono di cattivo umore».

Ci procurammo la lista delle palestre. Ce n'erano un'infinità. Ci spartimmo il territorio e cominciammo le visite, ciascuno per conto proprio, per guadagnare tempo. Per fortuna le fotografie tratte dal filmato ci risparmiavano le reazioni e le domande che immancabilmente la foto di un cadavere suscita.

Il terzo giorno eravamo ancora a zero, e non solo io cominciavo a spazientirmi, ma anche il commissario Coronas. E non perché i giornali ci stessero addosso, al contrario. Dedicare tanto tempo a un poveraccio? Certo, nessuno lo disse, ma l'idea era nell'aria. Un morto che nessuno reclama non chiede giustizia dall'oltretomba, è un perfetto nessuno in morte come lo era in vita. Ma a me non importava, ero pronta a restituirgli la parola che non aveva mai avuto.

Il quarto giorno Sonia segnò un altro grosso punto a suo favore: il proprietario di una palestra sulla strada da Sitges a Castelldefels aveva riconosciuto il nostro uomo. Finalmente!

Manuel Tafalla Martín, nato il 10 aprile 1956. Questo e un indirizzo era tutto quanto compariva sulla sua scheda. La persona con cui parlammo sapeva poco di più.

«Ha lavorato da noi per circa tre anni. Niente da dire, il suo mestiere lo conosceva, e gli piaceva molto. Era un buon istruttore».

«Ha avuto problemi con qualcuno?»

«No, assolutamente no. Era un tipo tranquillo».

«E lavorava anche da altre parti?».

«Credo che allenasse anche la squadra di calcio di una scuola di preti, ma non saprei dirle dove. Aveva già una certa età, però era bravo. Portava perfino i ragazzi in gita la domenica, anche se non lo pagavano. Così mi raccontava. Anche da me faceva cose del genere: organizzava festicciole, proiettava dei video. Un buon elemento, come le dico. Ma un bel giorno è venuto a dirmi che se ne andava, che era stanco, e siccome aveva ricevuto una piccola eredità, voleva lasciare il lavoro».

«E quanto tempo è passato da allora?».

«Saranno quasi due anni, ormai. Dopo, non ho saputo più niente».

«Era gay?» chiese Garzón.

La risposta fu ineccepibile:

«Non mi piace indagare sulla vita privata di chi lavora per me. Se lo era, qui non ha mai dato motivo di parlarne».

Gli mostrammo la fotografia con il fuggevole profilo del presunto assassino, ma a quanto pare non l'aveva mai visto.

Verificai se Manuel Tafalla risultasse ancora abitante all'indirizzo indicato. Era così. Chiesi l'autorizzazione del giudice per entrare nell'appartamento. Si trovava al Guinardó, un posto modesto, povero addirittura, un piano rialzato assai poco luminoso. L'arredamento non ci sorprese: poster di culturisti e attori di serie B. Pesi ed elastici nel bagno. Una cyclette in un angolo del minuscolo soggiorno. Un computer portatile, un televisore. Yolanda venne di corsa dalla camera da letto. Aveva trovato dei soldi sotto il materasso, e non pochi. Li contammo: quasi ventimila euro.

«I soldi sotto il materasso. Un classico!» commentò Garzón.

Requisimmo il computer e ce lo portammo in commissariato. Non c'era nemmeno una password per entrare. Fu facilissimo visualizzare la cronologia delle pagine visitate negli ultimi tempi. E lì, chiara e indubitabile, balzava agli occhi una cosa che poteva interessarci: una gran frequentazione di siti di pornografia infantile. Garzón fischiò.

«Il nostro diavoletto non era un santo, a quanto pare!».

Chiedemmo assistenza al nucleo specializzato in reati via internet. Ci mandarono un collega che sapeva tutto di pedopornografia. Era un giovane ispettore, molto disponibile, simpatico. Ci spiegò subito alcune cose che potevano aiutarci.

«Il fatto che non avesse una password e non si preoccupasse di cancellare le tracce della sua navigazione, ci dice che era un semplice utilizzatore. Che non aveva nulla a che fare con la produzione o il commercio di materiali di quel tipo».

Le sue dita volarono sulla tastiera con la rapidità e l'indifferenza con cui gli esperti trattano un computer.

«Ecco. Sono quelle che noi chiamiamo pagine light: bambini che corrono nudi nei prati, ragazzini di quattordici anni buttati languidamente su un divano… Una variante artistica del porno infantile. Tutti maschi. Il soggetto dev'essere gay».

«Io non ci vedo niente di artistico in queste porcherie» disse il viceispettore davanti a un'immagine un po' più esplicita.

«È un modo di dire. Siete fortunati a non vedere quello che vediamo noi tutti i giorni. C'è da non crederci. Ormai ci siamo abituati. Ma ci sono cose così spaventose che riescono sempre a superare la soglia di tolleranza allo schifo».

«Me lo immagino» sussurrai.

«No, non se lo immagina, ispettore. Nessuna persona sana di mente può immaginarlo. Però il vostro indagato non è messo così male. A giudicare da quanto si vede qui».

«Non è un indagato, è un morto. Qualcuno l'ha assassinato».

«Magari aveva dei contatti nell'ambiente. Ma allora perché lasciarne traccia sul computer? Comunque, per vostra tranquillità, possiamo verificare se troviamo qualcosa su di lui nei nostri archivi».

Vedendolo uscire, ottimista e deciso, mi domandai quanto sarebbe durato quel suo bel carattere se non lo avessero trasferito quanto prima ad altri incarichi. Garzón forse mi lesse nel pensiero, perché disse:

«La mente dei giovani è corazzata, Petra. Loro sono più resistenti».

Annuii in silenzio. In quel momento la mia mente non era che un groviglio di cavi staccati.

«Ha qualche idea, Fermín?».

«Nessuna brillante, ispettore. E lei?».

«Io, né brillanti né opache. Però ho bisogno di rifletterci su».

«Faccia pure, ispettore. Ho molta fiducia nelle sue sedute di riflessione. Io, invece, credo che me ne andrò a casa. Sono stanco morto».

In verità preferivo restare sola. Diedi inizio alla mia «seduta di riflessione» riordinando tutto quello che avevamo raccolto fin dall'inizio, rileggendo tutti i verbali degli interrogatori e tutte le testimonianze. Quel che più contava era riuscire a sgombrare la mente, dissipare la miriade di impressioni che mi si sovrapponevano, con l'inevitabile carico di soggettività che le accompagnava. «Pulizia, Petra, pulizia» mi dissi. «Fai pulizia come una brava massaia e rimetti tutti i mobili al loro posto. Fai il vuoto più assoluto, come se quel diavolo morto fosse comparso nella tua vita solo in questo istante». Un povero diavolo mascherato da diavolo viene ucciso con premeditazione da un uomo di una certa età e dall'aspetto insospettabile. Il povero diavolo non era tale fino a poco tempo prima: aveva un lavoro e sapeva farlo bene, con entusiasmo e passione, portava perfino i ragazzini in gita. A un certo punto decide di dare un calcio a tutto e rassegna le dimissioni. Ha ventimila euro in contanti sotto il materasso. Passa il tempo a guardare pedopornografia al computer. Qualcosa deve essere successo, nessuno cambia vita da un giorno all'altro senza un motivo. Meno di due anni dopo un uomo lo ammazza. È passato troppo tempo perché il nesso tra causa ed effetto sia immediato.

A un tratto mi attraversò la mente un'idea assurda. Un'intuizione del tutto ingiustificata. Corsi a casa. Aspettai con impazienza che Marcos rientrasse. Nel frattempo feci il possibile per distrarmi: mi preparai un'insalata, accesi il televisore, aprii il libro che stavo leggendo. Tutto inutile, quell'idea era diventata un'ossessione che mi martellava le tempie. Quasi assalii mio marito non appena varcò la porta di casa.

«Marcos! Sono da noi i ragazzi questa sera?».

«Ehi, che accoglienza!».

«Rispondimi».

«No, stasera sono con la madre».

«Ecco, mi pareva. Ho bisogno di parlare con Hugo urgentemente».

Marcos mi guardò serio. Era preoccupato.

«È successo qualcosa? Non farmi paura».

«Permetteresti che tuo figlio desse un parere su un reperto delle indagini che sto facendo?».

«Santo Dio, Petra, non so neppure di che si tratta!».

«Non preoccuparti, caro, è una cosa da nulla. Ma soprattutto non farmi nessuna domanda».

«Comunque a quest'ora Hugo sarà agli allenamenti, e dubito che sua madre abbia voglia di portarlo qui, dopo».

«Be', io non posso aspettare fino a domani. Accompagnami a scuola da lui, ti prego».

Hugo fu il calciatore più sbalordito del mondo quando ci vide arrivare. E poi fu il più felice del mondo quando gli dissi che cosa volevo da lui. Alla fine, smessi i calzoncini del giocatore e rientrato nei jeans, fu al colmo dell'orgoglio al momento di varcare la soglia del commissariato. Non dimenticherò mai la sua espressione adulta e concentrata quando fu davanti al reperto che tanto mi premeva mostrargli. Annuì gravemente:

«Sì, il costume da diavolo della squadra era fatto proprio così. Me ne ricordo perché alla coda avevano messo una specie di fiocco da tenda, vedi? Come questo. Lo dicevamo tutti che sembrava la coda di un leone, perché quella dei diavoli ha una specie di freccetta».

Lo presi per le braccia, lo guardai negli occhi.

«Hugo, pensaci bene prima di rispondere. Di che scuola erano i bambini che erano venuti con quel costume?».

«Non devo pensarci, me lo ricordo benissimo. Vincevano sempre perché avevano un allenatore molto bravo. È una scuola di preti, il Jesús Maestro». Ora aveva lo sguardo fisso sulle macchie che imbrattavano il costume, visibili attraverso il sacco di plastica trasparente. «Ma questo è sangue, Petra?».

Non gli risposi. Andammo via di lì e lo riportammo al suo allenamento, in modo che potesse uscire insieme agli altri.

«Non una parola a tua madre su tutto questo, hai capito, Hugo? Nemmeno mezza parola» lo avvertì Marcos.

«Ma a Teo sì, eh, papà? A Teo non posso non dirlo, quello muore d'invidia quando lo sa».

Mentre guidava verso casa, Marcos, seccatissimo, espresse ben chiaro quello che pensava:

«Non farmi mai più una cosa del genere, è chiaro, Petra? Mai più. Questa volta hai davvero esagerato».

«Lo so, amore, lo so. Hai ragione» gli risposi, e gli coprii la bocca con un bacio.

Il Collegio Jesús Maestro occupava un antico palazzo nella zona alta di Barcellona. Doveva essere uno degli ultimi a offrire un insegnamento esclusivamente maschile. Il direttore ci ricevette con uno di quei sorrisi che solo il clero sa riservare ai suoi interlocutori, e che contiene un misto di condiscendenza e diffidenza difficile da mandar giù. Conoscendo l'abile diplomazia ecclesiastica, mi ero preparata bene per quell'incontro insieme a Garzón. L'importante era entrare in argomento nel modo più spiccio e concreto, altrimenti qualunque sacerdote sarebbe riuscito ad avvolgerci nelle spire delle sue infiorettature verbali.

«Direttore, come devo chiamarla?».

«Se non le spiace, mi chiami padre Juan».

«Padre Juan, sarò molto diretta: sappiamo che qui ha lavorato come allenatore di una squadretta di calcio un signore di nome Manuel Tafalla».

Lui guardò il soffitto, come cercando un'informazione che poteva annidarsi soltanto lì, ma si vede che la mia assertività aveva fatto effetto, perché disse:

«Sì, mi pare di ricordare, ma da allora sono passati già diversi anni».

«Soltanto due».

«Come corre il tempo!».

«E quante cose succedono altrettanto in fretta, padre! Perché, come lei saprà, Manuel Tafalla è stato assassinato».

Fingeva molto male, ma riusciva ancora ad avere un'aria tranquilla.

«Non mi dica. Che orrore! A volte sembra che il mondo sia impazzito».

«Ora noi vorremmo sapere in che modo Manuel Tafalla lasciò il posto presso di voi».

«Be', un giorno espresse il desiderio di lasciarci per dedicarsi ad altre attività, che non specificò. Ci spiacque moltissimo, perché era un uomo molto dedito ai ragazzi, e molto capace, tuttavia, cosa vuole... in casi come questo noi possiamo fare ben poco».

«Gli fu versato un indennizzo economico?».

Lui alzò gli occhi al cielo e rise falsamente.

«Indennizzo? Se ne andò di propria volontà, e le assicuro che non siamo ricchi».

Il viceispettore entrò in azione:

«Senta, padre, l'essere un prete non le dà il diritto di mentire, e se lo fa, si deve mettere bene in testa che sta parlando con dei poliziotti, e che dopo di noi verrà un giudice e dovrà mentire anche a lui. Rischia di mettersi in guai molto grossi».

Il direttore mi guardò come chiedendo protezione, o più esattamente come se dicesse: «Mi tolga questo orangotango di davanti». Io, impassibile, tornai a insistere:

«Vogliamo sapere per quale motivo Manuel Tafalla lasciò il suo lavoro qui dentro».

«Come le stavo dicendo…».

Lo interruppi buttando un fascio di fotografie sul tavolo. Presi quella del cadavere di Manolo e gliela misi sotto il naso.

«Guardi, padre. È morto. Lo vede? Con addosso lo stesso costume da demonio che aveva fatto mettere ai suoi alunni della squadra. È stato ucciso, lo capisce? Si rende conto della gravità delle conseguenze, se ci nasconde delle informazioni? E non parlo solo di lei, ma anche dell'istituto che dirige».

Cercai la fotografia in cui si vedeva il profilo del presunto assassino. Gli occhi del prete si dilatarono. Lo osservai bene: cominciava a sudare. Si passò più volte un dito nel solino, compulsivamente. Lasciai passare del tempo prima di fargli la domanda. Doveva riflettere, capire che in presenza di una prova fotografica inoppugnabile il silenzio lo rendeva automaticamente complice. Attaccai con energia:

«Riconosce quest'uomo? Ci pensi bene prima di rispondere. Questa fotografia riguarda direttamente un omicidio».

«Il nostro istituto non ha niente a che vedere con questa vicenda» mormorò. «E io nemmeno».

«Ma ci dica una maledetta volta se lo riconosce!» sbottò Garzón.

«Ecco, a dire il vero, è possibile che la richiesta di dimissioni di Tafalla fosse in qualche modo legata a una divergenza che ebbe con il padre di un allievo, e ho come l'impressione che il padre dell'allievo in questione sia il signore della fotografia. Ma voi capite che non posso averne la certezza».

«Di quale tipo di divergenza sta parlando?».

«Non lo so, non ne ho la minima idea».

«Lei butta fuori un insegnante dalla scuola e non sa perché lo fa? Su, padre, vada a raccontarlo a qualcun altro!» sbottò il viceispettore in tono da caserma.

«A volte l'opinione di un genitore può essere determinante».

«L'opinione riguardo a cosa?».

Padre Juan si passò una mano sulla faccia, era ai limiti della resistenza, ma resistette.

«Lasciate stare questa scuola, per favore. Io non so niente di nessun assassinio. Credete davvero che se sapessi qualcosa ve lo nasconderei? Io sono un uomo di Chiesa, un uomo di Dio!».

«Tutti siamo uomini di Dio, padre, ammesso che Dio esista. Ci dica quello che sa, per favore» dissi, mostrandomi fin troppo accondiscendente.

«Il signore della fotografia è il dottor Alzueta, Domingo Alzueta, e suo figlio non è più tra i nostri alunni. Come vi dicevo, ha avuto una divergenza con l'allenatore. A quel punto ho preferito che Tafalla lasciasse la scuola e che il dottor Alzueta ritirasse suo figlio. Questo è tutto quanto posso dirvi».

Capii che non gli avremmo cavato altro. Però ci diede l'indirizzo di Domingo Alzueta. E per concludere, ci disse:

«È una persona molto per bene, un medico noto in città, molto stimato, e un buon cristiano. Sono sicuro che non abbia niente a che vedere con la morte di quel pover'uomo...».

Garzón non fece altro che imprecare mentre uscivamo. Era una furia.

«Brutto stronzo di un prete! Non c'è stato modo di cavargli fuori niente».

«Se la immagina la divergenza che può esserci stata tra il dottore e il nostro Manolo?».

«Certo che me la immagino, ispettore. Ma dei ventimila euro sotto il materasso, cosa mi dice, eh?».

«Non precipitiamo, Fermín. Tempo al tempo».

La famiglia Alzueta viveva in un bell'appartamento al piano nobile di un palazzo dell'Ensanche. Venne ad aprirci una domestica, che fino alla comparsa della padrona di casa non ci permise di entrare. Elisa Alzueta sfiorava la cinquantina e aveva l'aspetto tipico di una signora borghese della sua età. Che fossimo poliziotti non la sorprese più di quanto non avrebbe sorpreso qualunque cittadino per bene. Ci fece accomodare nel salone, e quando le dicemmo che volevamo parlare con suo marito ci informò che al momento era in ospedale e che non sarebbe rientrato prima di un'ora, per pranzo. Spinta più dal ragionamento che da un impulso istintivo, le chiesi se gentilmente ci permetteva di attenderlo lì. Accettò, ora più preoccupata, e dopo aver domandato se poteva offrirci qualcosa, la sua seconda e inevitabile domanda fu esattamente quella che aspettavo:

«Posso sapere di quale argomento desiderate parlare con mio marito?».

«Sì» risposi come un fulmine. «È stato ucciso un uomo, un certo Manuel Tafalla».

Un evidente afflusso di sangue cambiò il colore del suo viso. Abbassò lo sguardo e la voce.

«L'ho letto sul giornale».

«Lo conosceva?».

Mi guardò come se mi implorasse, forse di non chiederle altro. Continuai:

«Lo conoscevate entrambi, suo marito quanto lei. Allenava la squadra della scuola di vostro figlio».

«Io non l'avevo mai visto» disse con un certo impeto, che subito smorzò per aggiungere: «Ma sapevo chi era, certo».

«Signora Alzueta, il direttore del Jesús Maestro ci ha detto che tra suo marito e quell'insegnante c'erano state delle divergenze, così si è espresso. Lei ricorda di quale genere di divergenze si trattava?».

Subito, la signora portò le mani al viso e si mise a piangere. Restammo in silenzio. Finalmente, distogliendo lo sguardo, riuscì a parlare.

«È passato del tempo, e per fortuna siamo stati capaci di superarlo. Siamo una famiglia molto unita che vuole vivere in pace. Lasciateci tranquilli, per favore, non facciamo del male a nessuno».

«Abbiamo prove significative che suo marito sia coinvolto nell'omicidio».

Scuoteva la testa, mentre le lacrime le scivolavano lungo le guance.

«No, non può essere. State cercando di confondermi. Mio marito è un uomo pacifico, una persona per bene. Non pensa ad altro che ai suoi pazienti e alla felicità dei nostri figli. Non sarebbe capace di fare del male».

Garzón, implacabile, tirò fuori una fotografia, la mise sotto gli occhi della donna.

«È suo marito questo, signora Alzueta? Lo guardi bene».

Lei lo fece, e immediatamente voltò la faccia, che tornò a coprirsi con le mani. Garzón continuava a parlare:

«L'uomo vestito da diavolo è Manuel Tafalla. È stato ripreso al Carnevale di Sitges, un quarto d'ora prima che venisse ucciso. Con due profonde coltellate allo stomaco, glielo ricordo. Ecco, qui c'è una fotografia del corpo».

Inutilmente il viceispettore cercò di indurre la donna a guardare il morto. Ma lei, dietro il fragile riparo delle mani, non riusciva a smettere di piangere.

«Posso ritirarmi?» mormorò.

«Mi dispiace, dobbiamo pregarla di rimanere con noi fino all'arrivo di suo marito».

Allora mostrò la faccia devastata dal pianto e per la prima volta parlò con furia:

«Ma cosa credete, che me ne scappi?».

«Può avvertire suo marito per telefono».

Rivolta al viceispettore, con voce carica di dignità ferita, disse:

«Di me stessa sì che sono responsabile, caro signore! E le assicuro che mai nella mia vita, mai, ho giocato sporco né ho fatto niente di condannabile. Sono una donna religiosa e timorata di Dio, e intendo rimanere tale fino alla fine dei miei giorni, qualunque cosa succeda. Qualunque cosa».

Poi tacque, sedette rigida, e restammo tutti in silenzio. Dopo una ventina di minuti si sentì aprire la porta di casa, ed entrò nel salone il dottor Domingo Alzueta, primario di otorinolaringoiatria. Era un sessantenne leggermente sovrappeso, dall'aspetto del tutto comune se non fosse stato per gli abiti distinti che portava. Indubbiamente, era l'uomo della fotografia. Il suo volto cambiò espressione quando ci vide seduti davanti alla moglie. Fissò lo sguardo su di lei e adottò un'aria contrita. Fu lei a parlare:

«Sono poliziotti, Domingo. Dicono di avere le prove che tu hai ucciso quell'uomo». Gli porse la fotografia che aveva ancora sulle ginocchia. «È vero?».

Lui abbassò gli occhi, gettò il soprabito sul divano. Non aprì bocca. Lei continuò, interpretando il suo silenzio come una risposta affermativa.

«Hai rovinato la vita della nostra famiglia, hai infranto la legge di Dio e quella degli uomini. E perché, Domingo, perché? Forse ti sei sentito meglio, dopo? Dimmelo. Voglio saperlo. Ho vissuto con te metà della vita e mi accorgo ora che non ti conoscevo, questa è la verità, non ti conoscevo. Solo Dio può punire, soltanto lui».

Ci fu un nuovo silenzio. Il dottor Alzueta parlò, con voce grave, profonda:

«Lo rifarei, Elisa. Lo rifarei in questo preciso momento, se fosse necessario».

«Gesù abbia pietà della tua anima».

Detto questo, la signora uscì dal salone, dura come un blocco di granito, categorica come una sentenza biblica.

«Date le circostanze, sarà meglio che lei ci accompagni in commissariato per una completa confessione, dottore».

E il dottore riprese il suo impermeabile. Fu una confessione circostanziata e precisa, che ci permise di chiarire fino in fondo il movente del delitto: la vendetta. Il figlio maggiore degli Alzueta aveva subito abusi sessuali da parte del Tafalla. Il ragazzo aveva trovato il coraggio di dirlo ai genitori, ma gli Alzueta, invece di sporgere denuncia in commissariato, avevano preferito parlarne con il direttore della scuola. Questi li aveva persuasi al silenzio. Perché traumatizzare inutilmente il ragazzo con un'esposizione pubblica di quei fatti così terribili? Perché macchiare il buon nome di un istituto serio come il Jesús Maestro? In cambio del segreto, il direttore avrebbe immediatamente allontanato dalla scuola l'insegnante colpevole, e si sarebbe assicurato che mai più prestasse servizio nell'insegnamento. Capii subito come avesse fatto: i ventimila euro sotto il materasso parlavano chiaro.

Una volta accettato l'accordo, però, il dottor Alzueta si accorse di non trovare pace. A quel punto rivolgersi alla polizia non aveva più senso, e davvero avrebbe potuto danneggiare l'equilibrio ritrovato da suo figlio, da sua moglie, da tutta la famiglia. Ma ormai lui non riusciva a vivere con quel pensiero fisso che gli toglieva il sonno. La forza della sua decisione fu chiarissima da una cosa che ci rivelò:

«Pensai perfino di trovare una persona che lo facesse per me. Immaginai che qualcuno dell'ospedale potesse mettermi in contatto con un possibile sicario. Ma poi mi accorsi che potevo farlo io stesso, con le mie mani».

Quando, alla fine del pomeriggio, quel bravo medico e padre di famiglia fu tradotto in carcere, Garzón ed io ritenemmo indispensabile andare a bere qualcosa. Non per festeggiare, ma come antidoto a quel sapore da tragedia greca che ci era rimasto nella gola.

«Che roba, ispettore! Anche le persone più serie e istruite cedono agli impulsi più primitivi. La vendetta! Come se vivessimo ancora nelle caverne!».

«Tutti noi abbiamo la nostra piccola stanza in una caverna, e ogni tanto, quando siamo in difficoltà, torniamo a rifugiarci lì».

«E quello stronzo del prete, crede che la pagherà?».

«Mi stupirebbe. È probabile che contro di lui non si riuscirà a trovare nulla».

«Grrrr!» ruggì il mio collega. «Mi vien voglia di andare fino a quella maledettissima scuola e sbranarmelo vivo».

«Già che si parlava di caverne...».

«Già che si parlava di caverne, e che ho una gran voglia di sbranare qualcosa, credo che mi ordinerò un panino al prosciutto. Mangiare alleggerirà la mia indignazione».

«Lei, caro Fermín, più che una stanza nella caverna, deve averci un appartamento con doppi servizi».

Mi sorrise, perché lo divertivo, anche se non gli andava di riconoscerlo.

Quando arrivai a casa e aprii il computer per vedere la posta, trovai una mail di Teo che diceva così:

«Petra! Sei una traditrice! Hai chiamato Hugo per farti aiutare a trovare un assassino e a me non hai detto niente! Spero che la prossima volta che ammazzano qualcuno avverti anche me, così magari gli do una regolata. L'ha raccontato a tutta la scuola e io ho fatto la figura del cretino. Come pensi di farti perdonare? Aspetto un grosso regalo, tanti baci, Teo».

Ecco, pensai, saremo anche primitivi, eppure quanto sono complessi i rapporti umani! Mi chiesi se già nelle caverne fossero così. Aspettai l'arrivo di Marcos e gli proposi di andare a cena fuori. La cosa che più desideravo era una serata rilassante e leggera. Il mondo mi pesava addosso come un macigno dopo quel diabolico Carnevale. E fortunatamente lui subito accettò.

Novembre 2013

Una vacanza di Petra

È proprio vero che tutti noi facciamo pazzie per amore. Commettiamo azioni che giuravamo di non voler neppure immaginare, insensatezze che più tardi ci fanno inorridire al solo pensiero. Ma l'amore è così, non conosce limiti, rompe tutti gli schemi, irrompe come un fiume in piena, travolgendo le barriere che la prudenza e l'amor proprio ci hanno insegnato a imporre. E non lo dico perché stavolta io voglia far della poesia, ma per parlare di un'esperienza molto concreta e personale. Eppure non sono mai stata quel tipo di donna passionale che è capace di buttarsi dal quinto piano per l'uomo che ama, no, non mi sono mai spinta a tanto. La mia pazzia d'amore è consistita semplicemente nell'accettare una proposta di mio marito. O per essere più precisi: una richiesta d'aiuto. Mi spiego ancora meglio: si avvicinavano le vacanze estive che, per una volta, avrei potuto trascorrere con tutta tranquillità nel mese di luglio. Il programma che avevo studiato con Marcos era molto semplice ma estramamente allettante. La prima settimana l'avremmo passata a Barcellona. Era un modo per goderci finalmente la nostra città, con tutti i cinema, i ristoranti, i musei e le passeggiate a disposizione senza dover tenere d'occhio continuamente l'orologio. Poi avremmo preso con noi Marina e i gemelli, ovvero i tre figli più piccoli di Marcos, e saremmo andati al mare tutti insieme. E per gli ultimi giorni avevamo pensato a un viaggetto romantico in Europa per noi due soli. Sembrava un sogno, tutto era studiato alla perfezione per armonizzare i nostri doveri con i nostri desideri di pace e divertimento. Ebbene, il bel sogno andò in frantumi il pomeriggio in cui Marcos, tornato dall'ufficio, mi diede il ferale annuncio:

«Petra, nella settimana di mare con i bambini ho paura che dovrò rimanere qui. Abbiamo la consegna di un progetto, e non credo che lo studio potrà cavarsela senza di me».

«Marcos! Che delusione per i ragazzi!» risposi, da quella perfetta ingenua che ero.

«Infatti, proprio questo volevo dirti. Non è giusto che debbano soffrirne. E poi da mesi ero d'accordo con le loro madri sui giorni in cui li avrei tenuti io, non posso certo cambiare i loro piani».

«Sono grandi, ormai, e se staranno un po' con noi a Barcellona non sarà certo la fine del mondo».

«Avrei pensato che se trovassimo l'albergo adatto, tu potresti fare una settimana di mare con loro. Molto meglio che stare qui, no? Loro starebbero all'aria aperta tutto il giorno e tu faresti un po' di mare. Che ne dici?».

Io non dicevo niente, non avevo reazioni. Starmene con i gemelli e con Marina per una settimana in albergo? Ci avevo messo un po' ad arrivarci, ma si trattava proprio di questo. Sbattei le palpebre. Non mi era mai capitato di stare da sola con loro per tanto tempo. Ma che cosa potevo fare se non accettare? Accettai.

Chiesi consiglio al viceispettore. Di sicuro lui conosceva qualche posto tranquillo. Passava spesso il fine settimana al mare con Beatriz e mi avrebbe indirizzata bene.

«Ma certo! Conosco un posto che è la fine del mondo. Beatriz lo adora, è tranquillo, si mangia molto bene, ed è proprio in riva al mare. Sarebbe perfetto per voi».

«Magari non troviamo posto. Luglio è alle porte».

«Ma è un albergo molto grande, con un mucchio di stanze. Si riempirà in agosto, in luglio non credo. Se vuole posso chiamare io che sono cliente. Anche se dubito che si ricordino di me, il personale cambia a ogni stagione».

«Se lo fa, giuro di esserle eternamente grata. Lei capisce, andando con i bambini preferisco non rischiare sorprese».

L'albergo si trovava al Cap de Roses ed era il tipico posto di lusso con piscine, spiaggia privata, terrazze, diversi bar, saloni e intrattenimenti. Guardando il sito internet pensai che tutto sommato l'idea non era poi così malvagia. In un posto come quello il tempo sarebbe filato via in tutta tranquillità, fra nuotate e innocui divertimenti, fino al momento di tornare a casa. Quel pensiero ottimistico fu certo il primo sintomo della follia d'amore che si preparava.

Il giorno prima della partenza andai a dare l'addio a Garzón alla Jarra de Oro. Lui rimaneva a fare lo scapolo in città mentre sua moglie andava da certi parenti. Poi avrebbero fatto rotta tutti e due per le Canarie, dove si sarebbero impegnati a fondo nel dolce far niente, secondo la sua personale e felice definizione. Invidiai il suo programma e gli illustrai il mio esprimendogli tutti i miei timori.

«Su su, Petra!» mi disse. «Cerchi di non drammatizzare. I ragazzi sono simpatici e lei è già una vicemadre esperta; vedrà che se la caverà magnificamente».

«Forse ha ragione, è solo un'idea mia, una questione di principio. Una donna come me, che si è sempre considerata libera e indipendente, non accetta facilmente di passare per una madre felice».

«Capisco, essere scambiata per una madre felice dev'essere la peggiore delle offese per lei».

«Per non parlare della responsabilità. E se succedesse qualcosa ai ragazzi? Non sono più tanto piccoli, ma non si sa mai: ci sono sempre dei pericoli in agguato: la piscina, il mare...».

«Sacrosanta verità! E i noccioli di oliva con cui possono strozzarsi e perire tra sofferenze atroci...».

«Mi sta prendendo per i fondelli?».

«Io? Assolutamente no!».

«Le sembrerà ridicolo, ma se quei ragazzi avessero un incidente, le rispettive madri sarebbero pronte a strangolarmi con le loro mani».

«La vedo dura, lei si difenderebbe con le arti marziali».

«Ma vada al diavolo, Fermín! Anche senza pensare al peggio, c'è il rischio che si comportino così male da rendermi la vita impossibile».

«Ah, ma su questo sì che posso darle una mano io! Non deve fare altro che chiamarmi. In un paio d'ore sono lì e li riempio di sberle. O magari bastano due urlacci da sbirro?».

Grave errore lamentarmi davanti al mio collega. Sembrava volermi mettere davanti a uno specchio per dimostrarmi quanto ero viziata. Verissimo! Ma almeno tutti i vizi che ho avuto nella vita me li ero sempre procurati da me, mentre adesso, neanche a farlo apposta, sembrava che sapessi procurarmi solo guai.

Già caricare le valigie in macchina fu un'esperienza poco incoraggiante. Hugo e Teo, i gemelli, si misero subito a litigare. Uno dei due aveva portato uno zaino in più.

«Ma se sono libri, testa di somaro! Papà me li lascia sempre portare. Solo perché tu sei così rincoglionito che non leggi nemmeno il libro delle elementari!».

«Ha parlato l'intellettuale!» rispondeva Hugo fuori di sé. «E le racchette da tennis? Mi spieghi perché devo tenerle tutte e due nella mia valigia? Che merda ci hai messo nella tua se poi hai preso anche lo zaino?».

«Petra», intervenne Marina, ansiosa di fare giustizia, «Teo ha detto rincoglionito e Hugo ha detto merda. Perché non chiami papà? Lui ha detto che dobbiamo essere educati e non dire mai le parolacce».

Cercai di applicare il metodo che consigliavo sempre a mio marito. Feci un lungo respiro profondo prima di parlare:

«Ragazzi, tra un minuto si parte. Chi non si comporta bene non sale in macchina. La donna delle pulizie ha detto che è disposta a fare da baby-sitter per chi rimane a casa. È chiaro?».

Silenzio di tomba. Solo Marina, sentendosi esente dalla minaccia, si azzardò ad aprir bocca. Prima ancora che ne uscisse un suono, dissi con la massima tranquillità:

«Vuoi rimanere qua, Marina? Strano, sembravi contenta di venire».

Si infilò in macchina senza una parola, mentre i fratelli sorridevano soddisfatti per il mio trattamento paritario. E questo fu l'inizio delle vacanze.

In albergo, i gemelli avevano una camera indipendente tutta per loro. Invece Marina, che era più piccola, dormiva in una stanza comunicante con la mia. In caso di problemi, l'avrei avuta vicina. Se invece i problemi avessero riguardato i ragazzi, l'ordine tassativo era di chiamare i pompieri prima di chiamare me.

Facemmo insieme un sopralluogo completo e una volta presa visione della comodità di tutto quanto, mi parve di poter stare più tranquilla di quanto avessi immaginato. Fu subito dopo pranzo che nacque la prima discussione. Il tema era un classico: se fosse proprio necessario aspettare un paio d'ore prima di fare il bagno. La madre dei gemelli era una convinta assertrice di questa norma, mentre quella di Marina la trovava superata. Tutti e tre mi guardavano in attesa di una salomonica decisione. Cercai di scansare ogni responsabilità:

«È vero che dopo un pranzo abbondante è opportuno evitare sbalzi di temperatura, ma è anche vero che se non si è mangiato troppo e non si è stati troppo al sole, non si corre alcun rischio. Tuttavia, la cosa migliore è che ognuno segua le raccomandazioni della propria madre».

«Ah, no!» saltarono su i due ragazzi come molle. «Non è giusto. Adesso siamo con te e sei tu che devi decidere».

«Però io...».

Non avevo ancora finito di parlare e già capivo di essermi mostrata troppo debole. I gemelli stavano per venire alle mani. Teo rinfacciava a Hugo di avermi informata sulle rigide regole materne, Hugo si rivoltava come una belva. Marina, per non essere da meno, strillava che si comportavano male. In meno di due minuti avevano inscenato una tragedia fratricida da fare invidia a William Shakespeare.

«Basta!» gridai, nel mio miglior tono da domatrice di soggetti pericolosi. Se una cosa mi era chiara in quella confusione, era l'affermazione di Teo, opportunamente adattata alle mie esigenze: adesso a decidere ero io. In assenza di Marcos, mi stavo facendo prendere la mano dai ragazzi, e questo avveniva appunto perché avevo paura di quel che avrebbe pensato Marcos. Ora basta, però, io ero io, e i miei metodi dovevano essere validi se lui mi affidava la sua prole. Non avrei mai saputo educare dei bambini ma di sicuro avevo qualche idea su come fare in modo che non mi rompessero le scatole.

«Lo sapete che cos'è un "quaderno delle vacanze"?» chiesi con entusiasmo.

«Un libro di esercizi per ripassare tutto quello che si è studiato durante l'anno» disse Hugo.

«Ma ormai è dimostrato che non serve a niente. Pedagogicamente è meglio riposare durante le vacanze» puntualizzò Teo, sempre in vena di polemizzare.

«A me non importa un fico secco se pedagogicamente è valido o no. Si dà il caso che io abbia tre bei quaderni delle vacanze che ho comprato apposta per voi a Barcellona. Appena vedo che vi rimettete a discutere o mi seccate in qualsiasi altro modo, vi metto a fare i compiti per tutto il pomeriggio. Tutti e tre, di chiunque sia la colpa. Intesi?».

Dopo un attimo di terrore, abbassarono la testa. Teo la alzò per lanciarmi uno sguardo di ammirazione. La mia diabolica astuzia lo affascinava, anche se lo contrariava non poco.

«C'e una cosa che dovete imparare» continuai, senza abbassare la guardia. «Nel mondo ci sono regole che cambiano a seconda dei posti e delle persone. Ebbene, la mia regola è una sola, ma tassativa: "Non mi rompete le scatole e io non le romperò a voi". Questo è tutto. Come vedete è molto semplice. Quindi dipende da voi passare una settimana piacevole o trasformare questa vacanza in un inferno, perché vi ricordo che chi decide qui sono io».

Rimasero senza fiato. Credo che nessuno si fosse mai rivolto a loro in modo così spietato. Ero sicura che tutti avessero sempre cercato di argomentare ordini e consigli sulla base del concetto che erano «per il loro bene». Benissimo, ma era venuto il momento di dare loro un'immagine più realistica di come funziona il gioco sociale. Per sottolineare l'inappellabilità delle mie parole, non appena Marina mi rivolse un sorrisetto complice, conclusi:

«E sto parlando per tutti, è chiaro?». Spento il sorrisetto, ripartii: «Adesso vi dirò quali sono i programmi. La mattina la passeremo in spiaggia. Dopo pranzo ci riposeremo un po' e andremo in piscina. Poi merenda, doccia e una passeggiata in paese o una partita a tennis o quello che vi verrà voglia di fare. Cena, e a letto presto. Ci sono domande?».

Avevano capito alla perfezione, perché nessuno aprì bocca. E visto che secondo il programma era il momento di riposare, si ritirarono in buon ordine nelle loro stanze chiedendomi a che ora potessero ricomparire.

«Non prima delle cinque» dissi, e me ne andai in camera a fare la siesta. Non so come si fosse sentito Erode una volta commessi i suoi infanticidi, ma io di sicuro non avvertivo il minimo senso di colpa. Dormii beata per un paio d'ore.

Alle cinque in punto mi ritrovai con i ragazzi in piscina. Il loro comportamento con me era principesco, così come il mio con loro. Tutto in regola, pensai. Tirai fuori un libro e mi misi a prendere il sole mentre loro, felici, correvano a tuffarsi. Poco dopo vidi che Marina aveva fatto amicizia con un gruppo di bambini della sua età, mentre i gemelli continuavano a buttarsi in acqua come pazzi furiosi. Forse anche per me quella sarebbe stata una settimana di vera vacanza.

Mi tuffai in piscina, nuotai, immersi la testa nell'acqua con vivo piacere, provai il gusto di sentirmi finalmente libera e lontana da fatiche e doveri. Che meraviglia, questa era l'estate! Quando tornai al mio posto sulla sedia a sdraio, trovai ad aspettarmi l'intero gruppetto che giocava con Marina. Salutai i pargoli e rivolsi loro le stupide domande che fanno di solito gli adulti: «E allora, come va? Vi piace il mare? Avete già trovato tanti amici?». Loro mi fissavano come se fossi un essere alieno venuto da un'altra galassia. Forse non capivano lo spagnolo. Lo chiesi a Marina.

«Certo che capiscono, Petra, solo che ti stanno guardando» mi chiarì.

Ero riuscita in qualche modo a farli andare via e avevo ripreso in mano il mio libro, quando ebbi un'illuminazione. Volli accertarmene al tavolo della cena.

«Marina, tu hai detto a quei bambini che sono un poliziotto?».

«Sì» rispose. E poi, spaventata: «Non dovevo?».

Io stessa avevo detto mille volte a tutti loro che fare i poliziotti è un mestiere come gli altri, quindi non me la sentii di sgridarla. Lei però volle essere rassicurata:

«Non dovrò fare i compiti per questo, vero, Petra?».

Scossi la testa, un po' allarmata dalla scomoda reputazione che a mia insaputa si stava già addensando intorno a me. Teo volle dire la sua:

«Hai fatto male, Marina. Era meglio se qui non lo sapeva nessuno che lavoro fa Petra».

«E perché?» disse la bambina, dando voce alla mia curiosità.

«Perché c'è un mafioso russo nell'albergo».

«Che scemenza!» esclamò Marina, esprimendo ancora una volta i miei pensieri.

«Non è una scemenza» insistette suo fratello. «L'hai visto anche tu. Sta con quella tipa bionda che sembra una Barbie, molto più giovane di lui».

«E come lo sai che sono russi?».

«Perché parlano in russo. Dicono *da* che in russo vuol dire sì e *spassiba* che vuol dire grazie».

«Se tutti i russi che ci sono in Spagna fossero mafiosi, noi poliziotti non avremmo il tempo per andare in vacanza» buttai lì, per chiudere il discorso.

«Ma questo sì che lo è, Petra, giuro».

«E posso chiederti da cosa lo deduci?».

«Be', ha sempre gli occhiali da sole e si volta a guardare tutti quelli che entrano o gli vanno vicino. Come se facesse la guardia. E poi è strano».

«Se tutta la gente strana che c'è al mondo facesse parte di qualche mafia, lo sai che cosa vorrebbe dire?».

«Già, che tu non saresti in vacanza» disse, scontento per lo scarso interesse che gli dimostravo.

«No» risposi. «Che voi tre sareste dei mafiosi».

Marina e Hugo risero, ma Teo mi guardò indignato. Cosa potevo fare, prenderlo sul serio? Sgridarlo per avere spiato gli altri ospiti dell'albergo? No, avrei solo peggiorato le cose. Meglio un po' di sana presa in giro. Era evidente che se i ragazzi non davano più molta importanza alla mia professione fra le mura domestiche, le cose cambiavano fuori dal loro habitat naturale. I gemelli scoprivano di avere la vocazione dei detective e Marina si rendeva interessante a mie spese con i nuovi amichetti. Avremmo dovuto viaggiare insieme più spesso o, meglio ancora, non farlo mai.

Quella sera rinunciai al proposito di mandarli a letto presto. Nel salone delle feste si organizzava una serata danzante e pensai che fosse una bella cosa partecipare. Ci vestimmo con una certa eleganza e il maître ci diede un buon tavolo vicino al palco. I ragazzi erano strabiliati. Vollero dei gelati dalla complicata architettura che videro fotografati sul menu e io mi concessi un meritato gin tonic. L'ambiente era dei più vari: coppie di una certa età, sposi in viaggio di nozze, gruppi di amici. Un insieme vacanziero che non aveva nulla di particolarmente mondano. Perfetto, pensai, nessuno troverà strano il nostro quadretto familiare.

Presto prese posto sul palco un'orchestrina di cinque elementi che interpretava vecchi ballabili. Poco dopo comparve un presentatore imbrillantinato, che doveva risultare divertente, e che in un miscuglio di lingue si dava da fare per intrattenere il pubblico. Mi bastò vederlo per capire che avrei avuto bisogno di un altro gin tonic. I bambini sembravano felici: mangiavano il loro gelato, guardavano la gente, ridevano sottovoce delle sciocchezze del conduttore. Il divertimento crebbe quando le prime coppie si alzarono per ballare. La notte si preannunciava più lunga del previsto. Avevo già ordinato senza remore il secondo gin tonic quando vidi Teo dare una gomitata a Hugo, che quasi fece un salto sulla sedia. Lo sguardo di entrambi si era fissato su una coppia che entrava nella sala in quel momento. Non feci nessuna fatica a capire che si trattava del presunto mafioso e della sua accompagnatrice. Lui era un cinquantenne corpulento, calvo come una mela, in abito di lino bianco, ed effettivamente non si era tolto gli occhiali da sole malgrado le luci basse. L'avrei definito vistoso, se questo termine non fosse spettato di diritto alla donna che era con lui. Trentenne, con una voluminosa chioma biondo platino e una statura e un portamento da passerella, indossava un vestito color argento assai generoso con le sue forme mozzafiato. Credo che fui l'unica in tutta la sala a non seguirli con lo sguardo finché presero posto a un tavolo vicino al nostro.

La serata continuò senz'altre sorprese che le farsesche apparizioni del presentatore. Ma i ragazzi non smisero di rivolgere l'attenzione alla coppia sfavillante seduta poco più in là, che a quanto mi parve d'intravedere buttava giù vodka liscia come se niente fosse. Forse Teo aveva ragione, forse erano russi. Hugo, mosso a compassione dalla mia ingenuità, mi soffiò nell'orecchio:

«È lui, è il mafioso».

«Me l'ero immaginato» risposi. E aggiunsi, a voce abbastanza alta perché mi sentissero bene tutti e tre: «Ma se è un professionista, perché non sta più attento a non dare nell'occhio? Abito bianco, occhiali da sole, bionda da gangster... Non è un po' troppo facile?».

«Hai visto come trincano?».

«Se tutti quelli...».

Teo mi interruppe:

«Sì, lo sappiamo: se tutti quelli che bevono fossero mafiosi allora Petra sarebbe il capo supremo della mafia» disse, indicando il mio secondo gin tonic ancora a metà.

Marina, vedendo avvicinarsi nuvole di burrasca, mi prese per un braccio:

«Petra, perché non andiamo a ballare? Io da sola mi vergogno».

«Ottima idea. Venite anche voi?».

Figuriamoci! Due investigatori professionisti non possono mettersi a ballare con tutta la truppa. Li lasciammo lì e ci lanciammo sulla pista a mimare con il corpo tutto quello che il ritmo sapeva trasmetterci. Non ricordavo più da quanto tempo non mi divertivo così tanto. Poco dopo il presentatore tornò in scena e incitò tutto il pubblico a ballare. Anche i più restii alla fine si decisero e la musica si fece più ritmata e chiassosa. Guardai con la coda dell'occhio se Hugo e Teo si fossero uniti al bailamme generale e li vidi ancora lì, seduti immobili, sembravano due scolaretti. Marina, felice, saltava come una pulce facendo volare in aria i suoi bei capelli biondi. Alla fine si organizzò il tradizionale trenino a cui si suppone debba partecipare tutta la sala. I ballerini in fila indiana, sgambettando ritmicamente a destra e a sinistra, passarono tra i tavoli trascinando con sé anche gli ultimi renitenti. Sbalordita, vidi che appena i russi si unirono al serpente i miei due figliastri balzarono in piedi per andarsi a mettere proprio dietro di loro. La loro audacia cresceva, ormai non stavano solo a guardare, passavano all'azione. C'era da sperare che il bel gioco non finisse in una protesta alla direzione dell'albergo. Decisi che l'indomani avrei fatto un discorso ben chiaro.

Per la predica scelsi l'ora della colazione. Ma non arrivai molto lontano. Non avevo finito di dire che bisognava lasciare in pace la gente e non giudicare dalle apparenze, che Teo tirò fuori la seguente rivelazione:

«Quel tipo ha una pistola, Petra. Gliel'ho vista benissimo sotto la giacca quando mi sono messo dietro di lui per ballare».

«Che cosa dici?».

«Certo, aveva un rigonfiamento, doveva essere la fondina».

«Poteva essere la custodia degli occhiali, o il cellulare».

«No! Era più grande, e la forma secondo me era quella di una pistola».

«Pura suggestione».

«E va bene, si era portato la borraccia caso mai gli si seccasse la gola!».

«E non rispondermi così!» dissi, segretamente ammirata dalla prontezza del ragazzino. «Forza, andate a mettervi il costume che scendiamo al mare».

Marina si sistemò sulla sedia a sdraio accanto alla mia. Leggeva tranquillamente un giornalino quando alzò gli occhi e mi disse:

«Sono arrivati i russi».

Risposi con uno sbuffo. Poco dopo la vocetta infantile ricominciò:

«Petra, non ti sembra un po' strano che quel signore porti la giacca sopra il costume?».

Alzai gli occhi dal libro e li inchiodai sul russo. In effetti quel tipo sembrava avere uno strano concetto dell'eleganza. In quale manuale del perfetto gentiluomo si è mai visto che una giacca a doppiopetto, per quanto di lino bianco, è il giusto complemento per un costume da bagno? Non ebbi il tempo di pensarci oltre perché Marina mi offrì la spiegazione che precisamente non volevo sentire.

«Forse è vero quello che ha detto Teo. Forse non vuole far vedere la pistola».

«Che sciocchezza!».

«Una volta ho visto un film dove ammazzavano uno in una piscina, perché così sapevano che non era armato».

«Faresti meglio a non vedere quel genere di film».

«Sono quelli che danno alla tele. Che film credi che dovrei vedere, Petra?».

«Non so, film istruttivi, per esempio».

«E quali sono i film istruttivi?».

«Su, Marina, non mi angosciare. Vieni, andiamo a tuffarci!».

Mentre facevamo il bagno mi scoprii a lanciare occhiate in direzione del russo. Cercavo di capire se davvero avesse una fondina sotto la giacca. Ma mi resi conto in fretta della mia stupidità e finalmente mi abbandonai al godimento dell'acqua. Quei dannati ragazzini non potevano ridurmi così per colpa della loro immaginazione. Certo, non avevano tutti i torti. Quel ciccione di un russo aveva un'aria da far spavento. Per non parlare della sua amica, sempre carica di gioielli e borse firmate. Ma essere ricchi e cafoni non è ancora un delitto in questo paese, quindi avrei fatto meglio a smetterla di guardarli.

Pranzammo al buffet all'aperto. Sembrava che i ragazzi si fossero dimenticati di giocare a guardie e ladri. Regnavano l'allegria e il buon umore, ma verso la fine le cose tornarono a prendere una brutta piega. Hugo disse:

«Petra, sai che c'è un tipo strano che va sempre nella stanza dei russi? Entra, rimane un po' con loro, e poi esce».

Mi andò l'ananas di traverso.

«Questo significa che sapete in quale stanza sono».

«L'abbiamo visto per caso».

«Trattandosi di voi, il caso non esiste».

Prese la parola Teo, con la massima serietà:

«Petra, se facciamo queste cose è perché pensiamo che sia nostro dovere. Abbiamo visto che c'è qualcosa che non torna in tutto questo, e allora...».

«Adesso ascoltatemi e riflettete bene. Che cosa ne fareste di questa cosa che non torna se io non fossi qui? A chi raccontereste tutto questo?».

Rimasero zitti per un attimo. Poi Hugo disse:

«Non so, forse al direttore dell'albergo».

«Senza prove? Vi presentereste nel suo ufficio dicendo che secondo voi un suo cliente ha una pistola, che c'è un tipo strano che lo va a trovare, che non si toglie mai gli occhiali da sole e si guarda sempre in giro? Ma per favore! E pensare che credevo aveste capito in che cosa consiste il mio lavoro!».

«Ma tu al nostro posto cosa faresti?».

«Be', farei esattamente quello che sto cercando di fare ora: godermi in santa pace le mie vacanze e lasciare gli altri tranquilli».

«No, Petra, ti prego, facciamo un patto. Prima tu cerchi di vedere il tipo che va nella stanza dei russi e poi, se ti sembra tutto normale, non ne parliamo più».

Sospirai, guardai al cielo, pregai il Signore di darmi la pazienza. Se avessi detto di no sarei stata autoritaria. Se avessi detto di sì, sarei stata permissiva. Perché la gente pensa che il mondo degli adulti sia più complicato di quello dei bambini? O le complicazioni sorgono solo dal contatto tra i due mondi? Comunque, preferii il compromesso all'esercizio dell'autorità assoluta, e con un'arrendevolezza di cui mi stupisco ancora adesso, accettai.

Da dove cominciare? Nessun problema, quei due volponi dei miei figliastri avevano già pensato a tutto: sapevano il numero della stanza dei russi e avevano capito che le visite avvenivano verso sera, prima che la coppia scendesse a cena. Con mia grande sorpresa scoprii che avevano organizzato dei turni di vigilanza, e che anche Marina aveva partecipato! E io che li credevo chiusi in camera a guardare stupide serie televisive! Basta, la cosa migliore era finirla al più presto con quella fantasia, quindi decisi che la sera stessa avrei dato un'occhiata. L'operazione non era priva di rischi: nessuno fa molto caso a un bambino che si attarda per le scale o sbuca da un ascensore. Mentre un adulto, si capisce, è più visibile, qualunque cosa faccia può apparire sospetto, soprattutto se è in corso qualcosa di losco. Ma la sola idea di aver concepito una simile eventualità mi pareva insensata.

Alle otto di sera, con Teo e Marina, mi trovavo nel corridoio del settimo piano ad attendere lo squillo di cellulare di Hugo che ci avrebbe avvertiti appena avesse visto movimenti sospetti. Ci intrattenemmo osservando i motivi di un grosso vaso cinese su un tavolino: figure femminili in delicati kimono e salici piangenti. Qualunque cosa potesse distrarmi dalla misera figura che stavo facendo era benvenuta. Giocare a guardie e ladri con due bambini! Mi sembrava di essere nei libri di Enid Blyton che leggevo da piccola: *Petra e l'albergo dei misteri*, oppure: *Le vacanze dell'avventura*. La sensazione di essere una perfetta idiota cresceva di minuto in minuto, ero tentata di dire basta e scapparmene di corsa. Ma se lo avessi fatto i ragazzi non mi avrebbero più dato pace. Decisi di rimanere ancora un po'.

Alle otto e venti arrivò lo squillo di Hugo. Un minuto dopo si aprirono le porte dell'ascensore e ne uscì un giovanotto molto curato e ben vestito, in giacca e cravatta, con una valigetta in mano. L'uomo si diresse spedito verso la stanza dei russi e bussò con le nocche. Tre colpetti. Teo me lo fece notare alzando tre dita della mano destra. Venne ad aprirgli la bionda e lui entrò senza dire una parola. Allora il mio assistente mi tirò per un braccio, obbligandomi ad abbassarmi alla sua altezza, e mi sussurrò all'orecchio:

«Fanno sempre così».

Trascorsa una mezz'ora, il giovane visitatore uscì e riprese l'ascensore. Devo riconoscere che cominciavo a essere piuttosto irritata. C'era sicuramente una spiegazione per quelle visite, che potevano non aver nulla a che fare col mondo del delitto. Ma neppure si poteva escluderlo a priori.

Più tardi, mentre passeggiavamo per il paese fingendo la più perfetta normalità, Teo si decise a domandarmi:

«E allora cosa facciamo, Petra?».

La faccenda non poteva essere elusa più a lungo. Il dubbio mi corrodeva. Intervenne Marina:

«Perché non chiami il viceispettore Garzón? Magari a lui viene un'idea».

«Prima faremo una prova. Dobbiamo essere cauti, ma anche pratici. Stasera li seguirò quando saliremo in camera. A un certo punto, lungo il corridoio, farò un rumore improvviso alle loro spalle. A seconda di come reagisce il tipo, saprò se ha o non ha una pistola. In fondo, solo di questo lo si può accusare, di girare armato in territorio spagnolo».

Il fatto che mi fossi decisa all'azione li riempì di gioia. Ma furono molto meno contenti quando dissi ben chiaro che il loro aiuto non mi serviva; anzi, che se volevano aiutarmi dovevano starsene alla larga.

Aspettammo il tramonto in spiaggia. Eccoli lì, i due russi, felicemente adagiati sui lettini dell'albergo, lui con la sua sempiterna giacca di lino bianco, lei con un minuscolo bikini dalla stampa animalesca, non so di quale animale, ma comunque selvaggio. Io mi ero rivestita, per potermene scappare di corsa non appena avessero accennato ad alzarsi e andarsene.

Verso le sette, quando il sole era quasi scomparso, li vidi raccogliere riviste e asciugamani. Entrai immediatamente in azione. Presi l'ascensore e salii al settimo piano, dove mi misi ad aspettare vicino alle scale. Poco dopo arrivarono i due. Li osservai da dietro, sembravano molto tranquilli, lui canticchiava. Allora aprii la borsetta e lasciai cadere la scatola di latta che avevamo comprato per quello scopo. Il russo eseguì immediatamente la manovra che conoscevo così bene: girò sui talloni, piegò un ginocchio e portò la mano sotto la giacca voltandosi nella mia direzione. Non c'erano dubbi, quell'uomo aveva una pistola. Sorrisi stupidamente e dissi:

«Mi perdoni!».

Poi raccolsi la scatola di caramelle e aspettai con una faccia da scema che arrivasse l'ascensore. Loro non mi degnarono più di un'occhiata. Ripresero il cammino verso la loro stanza.

Di sotto mi aspettava l'assemblea dei piccoli detective al completo.

«E allora?» scattò Teo per primo.

«Sembra evidente che quel signore sa come si usa una pistola» dissi con prudenza.

«Ti ha puntato la pistola addosso?».

«Purtroppo no. Però ha fatto il gesto di difesa tipico di chi è abituato ad avere un'arma ed è addestrato a usarla».

«E tu ce l'hai la tua, Petra?» chiese Marina.

«Ma ci mancherebbe altro! Certo che no».

«E se ti sparava nel corridoio?».

«Non esageriamo».

«E allora cosa aspettiamo?» disse Hugo pronto all'azione. «Dobbiamo dirlo al direttore dell'albergo! Dobbiamo chiamare la polizia!».

«Ragazzi, non corriamo alle conclusioni. Se quell'uomo non è armato tutto questo non servirebbe assolutamente a nulla. Per di più, se ha qualcosa da nascondere, lo metteremmo sull'avviso e basta. No, sarà meglio che per ora io parli con il viceispettore Garzón».

Garzón rimase sbalordito da quel che gli raccontai per telefono.

«Ispettore, che scalogna! Per due giorni di vacanza che si prende, doveva capitarle pure questa! Sarà meglio che venga a farle una visitina».

«La ringrazio davvero, Fermín. Qui dentro, ospite dell'albergo, e per di più con i bambini, non posso far niente. Ma non ne parli in commissariato. Se poi non viene fuori niente facciamo una figuraccia spaventosa».

I ragazzi fecero salti di gioia quando seppero che stava per arrivare il viceispettore. I due gemelli, Teo soprattutto, sembravano talmente sollevati che quasi mi offesi. Come se con me non si potesse risolvere niente. Decisi di passarci sopra. Sapevo che adoravano il mio collega, e che avevano una fede illimitata nelle sue abilità di poliziotto.

«Gli hai detto di portare il costume?» disse Marina. «Lui poverino non è ancora andato in vacanza. Forse avrà voglia di fare il bagno con noi».

«Certo che gliel'ho detto. Anche perché con la sua aria da sbirro può dare nell'occhio».

Con santa pazienza mandai un sms a Garzón raccomandandogli di non dimenticare l'indispensabile indumento. E lui lo portò sul serio, dentro la sua valigetta: un boxer dall'abbondanza ottocentesca stampato a squali rosa shocking. Ai ragazzi piacque moltissimo e io stessa dovetti riconoscere che il rosa degli squali accompagnava in modo assai delicato il biancore quasi albino della sua pancia.

Scendemmo in piscina e lì c'erano i russi, nel solito posto, sempre con i bicchieri a portata di mano: vodka liscia, senza ghiaccio, con la bottiglia nel cestello. Il russo non aveva rinunciato alla giacca, nonostante il sole cocente. Il viceispettore li osservò con occhio clinico per qualche secondo. I miei tre protetti osservavano lui, aspettando una sentenza inappellabile.

«Strano» disse.

Teo non si trattenne più:

«Viceispettore! Noi è da un po' che lo vediamo strano. E abbiamo fatto le nostre indagini».

Hugo prese le parti del mio collega:

«Vuoi lasciarlo in pace? E non chiamarlo viceispettore che ti possono sentire! Sei proprio scemo».

Garzón tirò fuori le sue doti di mediatore:

«Calma, ragazzi! Quando dico strano intendo dire che potrebbe esserci qualcosa di illegale».

La parola «illegale» parve colmare le aspettative dei ragazzi, che sorrisero beati. La prossima volta avrei detto a Marcos di mandare i suoi figli in vacanza con Garzón, mentre io me ne sarei rimasta beatamente in città.

«Vi dico che cosa faremo» continuò. «Rimarrò qui con voi tutto il giorno. Voglio vedere il visitatore della sera. Però adesso tenteremo un'operazione non del tutto priva di rischi per la quale mi occorre il vostro aiuto».

Mentre l'entusiasmo dei ragazzi giungeva al colmo io cominciavo seriamente a preoccuparmi.

«Che cosa intende fare, Fermín?».

«Si rilassi, ispettore. Tutto sotto controllo».

Confabulò un po' con i bambini e poi li vidi alzarsi tutti e quattro insieme e avviarsi verso la piscina. Fecero il bagno, giocarono come matti spruzzando tutti coloro che avevano la sfortuna di trovarsi nelle vicinanze. Si fecero notare. Dopo questa esibizione generale, il viceispettore venne di corsa alle sdraio e prese il suo cellulare. Dispose i bambini per una foto che aveva come sfondo l'angolo occupato dai due turisti russi. Scattò più volte: prima tutti e tre i ragazzi insieme, poi solo Marina, poi chiese a un'ignara signora che passava di lì di ritrarlo insieme ai piccoli. Nessuno se ne stupì, nemmeno i russi, che rimasero tranquilli ai loro posti. In realtà, chi più chi meno, tutti lì intorno dovevano augurarsi che la rumorosa famigliola concludesse con il teatrino e se ne andasse al più presto a mangiare.

Poi, visto che fino alle otto di sera non c'erano grandi indagini da svolgere, passammo la giornata godendoci serenamente la vacanza. Verificammo però che i due russi fossero venuti ben nitidi nelle foto. Il risultato era perfetto. L'ammirazione dei ragazzi per il loro amico poliziotto salì alle stelle.

All'avvicinarsi dell'ora stabilita Garzón andò a cambiarsi e aggiunse al suo impeccabile abito scuro una delle sue più funebri cravatte. Adesso, secondo l'espressione usata dai ragazzi, era un vero idolo, un agente di quelli della tele. Nulla era lasciato al caso. Terminata la vestizione, e infilato l'auricolare del telefono all'orecchio, Garzón ci salutò, declinò con delicatezza l'assistenza offerta da Teo, e non lo rivedemmo fino a mezz'ora dopo. Con il cuore in gola, e io, in particolare, con i tappi nelle orecchie per non sentire le sciocchezze del diabolico terzetto, rimanemmo ad attendere la sua comparsa, e il suo racconto.

«È stato molto semplice» ci disse quando tornò. «Ho aspettato che il visitatore uscisse dalla stanza e l'ho fermato. Gli ho spiegato che facevo parte del servizio di sicurezza dell'albergo e gli ho chiesto se fosse un ospite. Lui ha risposto di no, mi ha spiegato che è un consulente finanziario e viene a far visita a una cliente».

«Una cliente?».

«Così ha detto. Poi mi ha mostrato i documenti e un biglietto da visita con il nome della società per cui lavora. Ho già chiamato in commissariato per verificare la sua identità».

«E ti è sembrato nervoso?» chiese Teo.

«Neanche per idea».

«Ha sospettato qualcosa?».

«No, l'ha presa come una cosa normalissima».

«Ma la polizia può dire le bugie?» intervenne preoccupata Marina.

«Solo quando agisce in nome della legge».

Garzón sapeva che certe frasi fanno sempre effetto. Forse la bambina era del tutto convinta, ma i ragazzi non ci pensavano neppure, erano sotto l'effetto della più cocente delusione.

«E lei ha visto qualcosa di sospetto?» tentò ancora Teo con un ultimo filo di speranza.

«Non più di quello che avrei visto in qualunque consulente finanziario. Sarò un po' indietro, ma certi mestieri mi danno molto da pensare».

Di quel che poteva dar da pensare al viceispettore, ai ragazzi non interessava un accidenti. Loro volevano sanguinose novità per le loro indagini.

«E allora ci siamo sbagliati» disse non ricordo chi.

«Sapete, un'indagine serve per andare in cerca della verità. È sbagliato voler confermare a tutti i costi i sospetti. I sospetti sono come ombre, bisogna far luce».

Didattico, rigoroso, impeccabile. Poi, per rimediare alla doccia fredda disse:

«Ma non è ancora finita. Adesso andrò alla reception, chiederò di parlare col direttore e mi identificherò come ispettore di polizia. Gli spiegherò che mi servono i dati dei cittadini russi che occupano la stanza 712. Lo tranquillizzerò dicendo che si tratta di una pura formalità e lo pregherò di osservare la massima discrezione. Con i nomi e le fotografie, domani in commissariato farò le opportune verifiche. E se hanno commesso reati e sono ricercati, qui da noi o in qualunque altro paese del mondo, vi chiamo subito e torno con una pattuglia. Vi è chiara la strategia?».

«Posso venire con lei?» si offrì Marina.

«Mi spiace di doverti dire di no, piccola. Un poliziotto in compagnia di una bambina deliziosa come te potrebbe non essere credibile».

Seduti tutti in fila su un divano della grande hall, seguimmo con lo sguardo il mio collega che si avvicinava al banco della reception. Lo vedemmo parlare con l'impiegato, che subito sparì dietro la porta della direzione e poi tornò per fargli cenno di seguirlo. Dieci minuti dopo il viceispettore ci passava accanto come se non ci conoscesse e con un impercettibile guizzo del sopracciglio ci invitava a ritrovarci fuori.

Lo raggiungemmo nel parcheggio, accanto alla sua macchina. Baciò i bambini uno per uno e mi strinse la mano. Aveva saputo gestire la crisi in modo impeccabile. Meritava un aumento di stipendio per quello che aveva fatto, addirittura una medaglia al valore civile. Anche se per la verità, non tutto era risolto. Me lo ricordò la voce di Hugo:

«Petra, domani pomeriggio noi non saremo qui. La vacanza è finita».

«Be', vedrete che il viceispettore Garzón se la caverà benissimo e ci farà sapere tutto quando saremo a Barcellona».

«Ma non è giusto» disse Teo. «Se non c'eravamo noi, nessuno si sarebbe accorto di quei due. E proprio adesso che viene il bello, noi dobbiamo partire».

«Intanto, non è ancora detto che si scopra qualcosa che non va. E poi, anche se fosse, vi sembra che un arresto sia uno spettacolo a cui si può assistere così, per divertimento?».

«E va bene Petra, però non ci sarebbe niente di male se rimanessimo un piccolo giorno in più».

«Può darsi, ma vostro padre ci aspetta domani».

«Puoi telefonargli».

«Non voglio che sappia niente di quel che sta capitando qui».

«E noi non glielo diremo» propose Marina. «Gli diremo solo che ci stiamo divertendo tanto e che vogliamo rimanere ancora un po'».

«Vuoi che io menta con tuo padre?».

Marina si morse il labbro. Quello era un problema morale. Ma non c'era problema morale capace di fermare l'intrepido Teo:

«Non sarai tu a dirglielo. Glielo dirà Marina che è la sua cocca. Mica è una bugia. Ci stiamo divertendo davvero e sarebbe bellissimo rimanere un giorno in più».

«Tu non ti diverti con noi, Petra?» mi chiese la bambina con la più innocente delle malizie.

«Fate come volete».

Si udirono grida di giubilo, subito trattenute da cautela poliziesca. Senza perdere un attimo, nel timore che potessi cambiare idea, Marina chiamò suo padre. Mi allontanai, come se una distanza di pochi metri bastasse a rendermi meno complice. La vedevo annuire e sorridere, mentre i gemelli, ansiosi, aspettavano l'esito della trattativa.

«Papà vuole parlare con te».

Inutile fuggire.

«E allora, Petra, grande successo, no?».

«Ti riferisci a qualcosa di preciso?».

Marcos rideva soddisfatto. L'idea che i suoi figli ed io fossimo stati bene in reciproca compagnia bastava a fare di lui l'uomo più felice del mondo.

«Sembra che i ragazzi non vogliano saperne di tornare».

«Sì, così pare. Gli hai detto che possono rimanere?».

«Prima di dare una risposta volevo sapere che cosa ne pensassi tu. Loro saranno anche entusiasti, ma tu non vedrai l'ora di toglierteli di torno».

Raccolsi tutta la mia forza d'animo in nome dell'armonia generale e di quella del mio matrimonio in particolare.

«No, io sto benissimo. Possiamo rimanere».

«Magnifico! Ma prima che tu ti penta, e per non darti pensieri, chiamo io l'albergo per prolungare il soggiorno. Non credo faranno alcuna difficoltà».

Chiusi la chiamata e mi trovai di fronte un gruppetto pieno di gioia con un emozionato portavoce:

«Grazie, Petra. Non dimenticheremo mai quello che hai fatto per noi» dichiarò Hugo con una mano sul cuore.

«E va bene» dissi seria come un generale della Guardia Civil. «Però non scordatevi una cosa: vostro padre non deve sapere niente di questa faccenda. Bocca cucita. Qualunque cosa succeda, intesi?».

«Sì, ma se lo sa dai giornali o dalla tele? Sarebbe un po' strano se poi vede che è stato arrestato un boss della mafia russa proprio nel nostro albergo, e noi non gli abbiamo detto niente» obiettò Teo.

«Se viene a saperlo in quel modo, allora sarete liberi di raccontare tutto».

Il patto parve soddisfarli, e in stato di massima allerta mi salutarono per andare a dormire. Dubitai che quella notte avrebbero chiuso occhio.

La mattina dopo a colazione li vidi nervosi e agitati. Alle dieci partì la prima domanda:

«E adesso che si fa, Petra?».

«Come, che si fa? Si va in spiaggia, o in piscina».

«E quella cosa lì?» volle sapere Hugo facendo il misterioso.

«Aspetteremo che chiami il viceispettore. Le verifiche da fare non sono così immediate».

«Aspettare! Sai che rottura!».

«Ma cosa credete che sia il lavoro di un poliziotto? Ve lo dico io: per l'ottanta per cento, aspettare!».

«Bella pazienza devi avere».

«È solo grazie alla mia pazienza che vi sopporto. Adesso vado a mettermi il costume. Ci vediamo tra poco».

La mattina sarebbe stata delle più tranquille se i miei figliastri fossero stati minimamente portati per il mestiere di poliziotto. L'idea dell'attesa per loro non era neppure concepibile. Passarono il tempo a tener d'occhio i due russi per paura che proprio quel giorno decidessero di lasciare l'albergo. E non persero d'occhio me, attenti a qualunque suono provenisse dal mio cellulare. La tensione aleggiava nell'aria estiva come l'odore di crema abbronzante.

All'ora di pranzo la chiamata di Garzón non era ancora arrivata, quindi tra boccone e boccone dovetti subire i reiterati tentativi dei bambini per convincermi a prendere l'iniziativa. Il mio no era tassativo, sebbene anch'io cominciassi a sentire una certa impazienza, oltre alla stanchezza di sopportare quelle pressioni.

Fu all'ora della siesta, quando, libera dai ragazzi, me ne stavo tranquilla a leggere nella mia stanza, che il viceispettore chiamò. Lo riconobbi subito, senza bisogno di guardare il display. Dopo tanti anni conosco la sua risata alla perfezione. Perché questo fu quel che fece, ridere, ridere come un demente senza pronunciare una sola parola per un minuto buono. Mi sarei volentieri messa a urlare, ma non intervenni, attesi che ritrovasse la compostezza e l'uso della parola, e ascoltai tutto quello che aveva da raccontare.

Alle cinque avevo appuntamento con i ragazzi nel bar dell'albergo.

«Ha chiamato il viceispettore Garzón».

Sui loro volti si leggeva un'avidità di sapere che qualunque insegnante poteva solo sognarsi.

«Come mai non è già qui con la pattuglia?» chiese Hugo.

«Le domande, dopo. Adesso ci prendiamo qualcosa da bere e poi vi spiego».

Lottando contro la loro impazienza, li feci sedere e ordinai aranciata per tutti.

«Il signore russo si chiama Sergej Lashmanov, e il viceispettore ha capito chi è parlando con il commissario Coronas. Si dà il caso che anche Lashmanov sia un commissario. O meglio, lo era, perché ha lasciato la polizia russa quando si è sposato con la signora che avete visto qui, una donna d'affari giovane e bella che di sicuro conoscete molto meglio voi di me. Si sono incontrati quando lui organizzava il servizio di sicurezza di un importante convegno di finanza internazionale».

«Vuoi dire che la Barbie è sua moglie?».

«Esatto, miei cari detective! E il misterioso visitatore delle otto di sera è effettivamente il suo consulente finanziario in Spagna, che viene a trovarla ogni giorno per discutere dei suoi affari nel nostro paese».

«Non ci capisco niente» disse Teo.

«Non ci capisci niente perché adesso viene la spiegazione vera e propria. Si dà anche il caso che l'ex commissario russo sia amico personale di Coronas. E che si siano conosciuti anche loro durante un convegno, un convegno internazionale di poliziotti. Inoltre dovete sapere che il signor Lashmanov parla lo spagnolo, l'ha imparato molti anni fa quando teneva dei corsi a Cuba. Quindi potete immaginare la bella figura che avete fatto chiacchierando tutto il tempo di lui e di sua moglie mentre poteva benissimo sentirvi».

«Continuo a non capire» si intestardiva Teo.

«Forse capirete meglio se vi dico che un paio di mesi fa il signor Lashmanov ha chiamato Coronas, il mio capo, per farsi consigliare un albergo comodo e discreto non troppo lontano da Barcellona. E sempre il caso ha voluto che il viceispettore Garzón in quel momento si trovasse nel suo ufficio, e che il commissario, a corto di idee, si consultasse con lui. Riuscite a dedurre che cos'ha fatto il mio caro collega Garzón in quell'occasione?».

«Gli ha consigliato lo stesso albergo che ha consigliato a noi» disse Hugo, deluso come non mai.

«Ma scusa, quando il viceispettore è stato qui e gli abbiamo detto dei russi, come ha fatto a non ricordarsene?».

«Credete che il commissario si fosse preso il disturbo di raccontargli tutta la storia? Gli ha chiesto il nome di un buon albergo e basta».

«Cacchio».

«Vi prego di moderare il linguaggio».

«Ma il viceispettore conosce solo questo posto?» ironizzò Hugo, tagliente.

«Non vedo perché te la prendi con lui».

«Petra, quello sarà anche un ex commissario, ma non credo che possa girare armato» riprese Teo, più pratico, nella speranza di potere ancora incastrare il povero Sergej.

«Infatti non è armato».

«E tu come lo sai?».

«Lo so perché il commissario Coronas l'ha chiamato e glielo ha chiesto. Pensate forse che gli abbia mentito? E anche se gli avesse mentito, credete che accertarmene sia compito mio?».

«E il gesto che ha fatto quando l'hai spaventato nel corridoio?».

«La forza dell'abitudine».

«Cazzarola».

«Ti ho già detto di stare attento al linguaggio che usi. E tu, Marina, hai capito bene tutte le spiegazioni?».

«Sì sì, ho capito tutto. Quel signore non è un ladro, non è un assassino, e nemmeno la signora lo è».

«Ecco, proprio così. Quindi adesso potete salire a fare le valigie perché domani si parte. Abbiamo ancora un pomeriggio e una sera per divertirci».

«Ma non sarà più la stessa cosa, senza indagini, senza pericoli, senza mistero» si lagnò Hugo.

«Dovresti essere contento che due ospiti di questo albergo siano persone per bene e non dei criminali».

«Già» disse Marina con un filo di voce.

«E adesso facciamo un patto».

«Un patto?».

«Sì, un patto ben chiaro. Come raccontate a qualcuno, anche solo di sfuggita, di questo ridicolo imbroglio, lo sapete cosa succede?».

«Che facciamo la figura dei cretini» rispose Teo di pessimo umore.

«Verissimo. E se mai vi passasse per la testa di abbellire un po' la realtà e di andare a dire a scuola che mentre eravate in vacanza avete catturato un boss della mafia russa, sapete cosa può succedere? Ve lo dico io: che vostro padre ne sarebbe subito informato, e che non gli piacerebbe affatto quello che è successo qui».

Rimasero in silenzio, malinconici.

«E adesso andatevene a giocare, che io voglio passarmi il mio ultimo pomeriggio in spiaggia».

Sfilarono come le truppe di Napoleone in ritirata: a testa bassa, trascinando i piedi. Appena fui sola mi venne da ridere. Eppure quella farsa non era stata affatto divertente, i bambini si erano comportati malissimo, e mi avevano spinta a commettere delle sciocchezze che mai e poi mai avrei voluto riconoscere in pubblico.

Quella sera assistemmo per un'ultima volta alla serata danzante condotta dal presentatore imbrillantinato, e partecipammo anche al trenino finale. Ma ormai i ragazzi avevano perso ogni entusiasmo. Tuttavia, disillusi com'erano, non smisero per un attimo di perforare i russi con lo sguardo. Volli sperare che si trattasse del fascino che il delitto non manca mai di esercitare sulle menti umane, anche le più innocenti.

Caricare le valigie in macchina fu un'impresa caotica come all'andata, ma non mi affaticò più di tanto. Mi sentivo incomparabilmente più leggera all'idea che quella settimana fosse finita e per me cominciassero le vacanze vere.

Lungo il tragitto regnava un silenzio poco allegro, ma nessuno alludeva alla storia dei russi. Solo Marina, a un certo punto, si lasciò andare a un commento che a tutti fu chiarissimo, anche se si tenne molto sul generico:

«Che gran cagata, vero, Petra?».

Non la sgridai. «Quel che è successo almeno vi ha insegnato una lezione».

«Ma certo» cantilenò Teo scocciato. «Che non bisogna giudicare dalle apparenze».

«No, caro, non è questo quel che pensavo» risposi. «L'insegnamento è che non esiste nessuno al mondo che assomigli a un delinquente più di un poliziotto».

Dopo un attimo di sbalordimento, risero finalmente tutti e tre. Di lì in poi la situazione dentro la macchina tornò alla normalità, ovvero al continuo litigio per ogni minima cosa. Io, da parte mia, avevo già tratto le mie conclusioni: vacanze da sola con i ragazzi, mai più!

Aprile 2014

Tempi difficili

Sinceramente, non capivo per quale motivo quel caso dovesse essere assegnato proprio a noi. Il commissario Coronas ormai mi conosceva bene ed era senz'altro al corrente della mia avversione per i delitti che si tirano dietro una serie infinita di seccature mediatiche. Detesto la passione morbosa che si scatena nelle masse ogni volta che siamo costretti ad indagare sulla morte di un minore, soprattutto quando, per colmo di sventura, il minore è una ragazzina. Lo dissi subito, senza mezzi termini, e nel modo più rispettoso di cui ero capace, pur sapendo che le mie rimostranze non sarebbero servite a granché.

«Le affido questo incarico, ispettore Delicado, perché si tratta di uno di quei casi che reclamano a gran voce l'intervento di una donna».

«Complimenti, commissario, cominciamo bene! Di tutti gli argomenti che poteva scegliere per farmi imbestialire, questo è certamente il più potente, glielo assicuro. Dissento per principio quando mi si dice che è necessaria una donna in un mestiere che, per definizione, non può dipendere dal genere di chi lo esercita».

«Ispettore Delicado, lei ha la lingua più veloce di un serpente. Ma mi faccia finire, per favore. Se le dico che

241

è necessario l'intervento di una donna è perché credo profondamente nelle capacità proprie del gentil sesso, e della sua persona in particolare».

Avrei volentieri battuto le mani in segno di giubilo, ma temevo, tirando troppo la corda, di spezzarla, mentre quel che volevo era che continuasse, era troppo divertente.

«La vittima ha quindici anni, ed è stata assassinata nella scuola dove studia. Basta questo per capire quante complicazioni possono riservare queste indagini: la famiglia, l'ambiente scolastico, i coetanei che possono essere coinvolti, i giornalisti... Un terribile ginepraio, non lo nego. Occorrono diplomazia, sensibilità, cautela, intuito psicologico e... il massimo della discrezione. Tutte doti squisitamente femminili. Quanto a lei, il suo curriculum parla da solo. Ha affrontato situazioni di estrema delicatezza con risultati brillantissimi».

«E se le dicessi che non mi sento di accettare un così grande onore, servirebbe a qualcosa?».

«Temo proprio di no».

«Vorrà dire che farò di necessità virtù, commissario».

«Non mi aspettavo di meno da lei, dalla sua prudenza e dal suo spirito di servizio, ispettore. Le sarà accanto il suo collaboratore abituale, il viceispettore Garzón, che come sempre le presterà un aiuto prezioso. Badi soltanto che non parli con nessuno della stampa, è un ottimo poliziotto, ma la discrezione non è il suo forte. In questa cartella trova tutto quel che c'è da sapere sul caso. Mi tenga informato, ispettore, e che Dio sia con lei».

Santo cielo! Uscendo da quell'ufficio mi sentivo come se avessi ricevuto l'investitura per una crociata in Terra Santa. Quel caso doveva essere davvero diabolico. Guardai la cartellina che avevo fra le mani e decisi di trovare un posto rilassante per aprirla senza troppi patemi. Il bar La Jarra de Oro mi offriva tutto quel che potevo desiderare: un buon caffè per rinfrancarmi, chiasso per non deprimermi, e un certo numero di testimoni per impedirmi di lanciare troppe maledizioni.

Forse fu una coincidenza o forse fu il destino, ma la prima persona che vidi entrando fu il viceispettore Garzón seduto all'unico tavolo libero. Rivolto al televisore, seguiva le cronache calcistiche davanti ai resti di quella che doveva essere stata una ricca colazione. Mi misi accanto a lui e fui accolta con energia:

«Che piacere vederla, ispettore! Giusto in tempo per il caffè, io non l'ho ancora preso».

«Le piace amaro?».

«Nei limiti, ispettore. Una punta di zucchero non guasta mai».

«Mi sa che ce ne vorranno dieci bustine perché quello che sto per servirle sarà più nero del solito».

«Un bell'inizio, stamattina. Prima la mia squadra del cuore mi dà una delusione e poi lei se ne arriva con queste minacce».

«Qual è la sua squadra del cuore?».

«Figuriamoci se lo dico a lei! Sarebbe come darle nuove cartucce per la sua arma».

«Come vuole. Credo che potrò sopravvivere senza saperlo».

Gettai uno sguardo alle briciole e ai tovagliolini macchiati che ricoprivano il tavolo. Pregai il cameriere di ripulire tutto per bene e portarci due caffè doppi.

«Questo è l'incartamento del nuovo caso che ci ha affidato il commissario. Non l'ho ancora aperto. Va bene se le passo i fogli via via che li ho visti e dà un'occhiata anche lei?».

«Benissimo. Però, mi dica: se non l'ha ancora aperto, perché tante storie sul caffè amaro?».

«Ne so abbastanza per essere sicura che quel che leggeremo ci farà storcere la bocca».

Mi immersi nella lettura, sottolineando mentalmente le informazioni essenziali.

La vittima: Noemí Sanz Requejo. Quindici anni. Studentessa del primo anno di *bachillerato* presso un istituto di insegnamento secondario del quartiere di Poble Sec. Morta per un colpo alla testa inferto con una clava per ginnastica artistica, nella palestra femminile della scuola. Trovata dal custode, Leandro López, prima dell'inizio delle lezioni. I primi esami forensi rilevano che la morte è avvenuta intorno alle nove e mezza della sera precedente, nel luogo stesso dove è stato rinvenuto il corpo. Nessun segno di lotta né tentativi di violenza. La ragazza era completamente vestita. Nessuna traccia significativa del possibile assassino sul luogo del delitto né sul corpo della vittima. Impronte molteplici ma compatibili con un luogo molto frequentato. L'arma del delitto era stata ripulita a dovere. Non c'era alcun segno di scasso, ma la sicurezza del luogo era relativa. Il signor Leandro, prossimo alla pensione, e di intelligenza limitata (testuale), ammette che il portone rimane spesso incustodito quando «deve recarsi alla toilette o in un bar poco lontano per consumare generi di conforto». La mattina successiva al delitto aveva aperto il portone prima di compiere il suo giro d'ispezione. Quindi un intruso che si trovasse già all'interno dell'edificio sarebbe potuto uscirne non visto mentre lui andava da un'aula all'altra per constatare che tutto fosse in ordine.

Questo era quanto. Il resto della storia avremmo dovuto scoprirlo noi, e non era poco. Mentre Garzón finiva di scorrere gli ultimi fogli, telefonai ai nostri esperti perché verificassero le chiamate in entrata e in uscita dal cellulare della ragazza.

Garzón alzò la testa, guardandomi con espressione indecifrabile.

«Che gliene pare?» chiesi.

«Un fottutissimo imbroglio».

«Non sia volgare. Che idea si è fatto della faccenda?».

«Stando a quel che c'è scritto qui, chiunque può essere entrato in quella scuola, esserci rimasto oltre l'ora di chiusura e avere ammazzato la ragazza. Chiunque avesse un appuntamento con lei, altrimenti, cosa ci faceva Noemí in palestra alle nove di sera?».

«In teoria è così. Ma quale malintenzionato estraneo all'istituto sceglierebbe uno scenario così complicato per commettere un delitto? Avrebbe potuto darle appuntamento da qualunque altra parte, non crede? In un terreno abbandonato, in una via poco frequentata, in un parco pubblico».

«Vero. Ma non dobbiamo dimenticare che la morte della ragazza può essere il risultato di una sfida adolescenziale. A quell'età si fanno cose strane, si inventano prove, rituali; si oltrepassano i limiti per il solo gusto del rischio».

«Vedo che lei è un esperto in materia. Non c'è da stupirsene, dato che non è mai uscito da quell'età. Ma quella componente di rischio e di trasgressione di cui parla, vale per i ragazzi che frequentano la scuola. Dubito che qualcuno, dal di fuori, possa aver avuto un'idea simile, tanto meno se aveva intenzione di uccidere».

«Ma era quella l'intenzione?».

«La gente non si infila in una scuola solo per dare un'occhiata in giro».

«A meno che non si tratti di un delinquente abituale».

«E che cosa ci fa un delinquente abituale con una ragazza che non cerca di difendersi né di fuggire, alle nove di sera, nella palestra di una scuola?».

«Ben poco, è vero. Allora dobbiamo pensare che l'assassino sia qualcuno dell'istituto. Un compagno o una compagna?».

«Qui non me la sento di azzardare ipotesi. Però immagino che si sia trattato di un maschio. Ha letto della traiettoria del colpo? Dall'alto verso il basso. L'assassino doveva essere leggermente più alto della vittima».

«Non necessariamente. A quell'età le differenze di crescita sono notevoli. Ci sono ragazze spilungone e maschi che rimangono indietro e si sviluppano più tardi».

«Lei non finisce di stupirmi con le sue precisazioni, Garzón. Si direbbe che abbia passato una vita in mezzo agli adolescenti».

«Puro senso comune. Quindi ci orientiamo su un allievo della scuola, indifferentemente maschio o femmina?».

«Per il momento sì. Anche se un elemento a sfavore ci sarebbe».

«E quale?».

«Il colpo mortale è stato assestato nel punto giusto. È bastato quello perché la ragazza crollasse».

«Non capisco».

«Non è difficile da capire. I ragazzi di oggi sono di un'ignoranza spaventosa. È necessario conoscere un minimo di anatomia umana per riuscire a dare una botta del genere».

«Ma la pianti, ispettore! Con questi pregiudizi generazionali farà poca strada domani in quella scuola».

«Domani? Neanche per sogno. Si comincia oggi».

«Ma io oggi devo finire tutti i verbali del caso precedente».

«Rinuncerà a qualche ora di sonno».

«E che cavolo, ho anch'io la mia età!».

«Passare la giornata in mezzo ai ragazzi la ringiovanirà. Non c'è niente di meglio per tenersi in forma. Mi aspetti qua, sistemo due cose e tra dieci minuti si parte».

Cominciammo quella mattina stessa visitando la famiglia della vittima. La trovammo come ci aspettavamo: sconvolta e piangente. I genitori erano più giova-

ni di me. Di quella classe media che oggi fatica a tenersi a galla. Lui, agente assicurativo. Lei, infermiera.
Avevano un'altra figlia più piccola, che in quelle tra-
giche circostanze era stata mandata dai nonni. Forse
ai due erano stati prescritti sedativi differenti, o forse
lo stesso farmaco aveva effetti diversi su ciascuno di
loro. Il padre era in uno stato di calma molto lucida,
mentre la madre sembrava instupidita, impacciata nei
movimenti e perfino nella voce. Non sapevano niente,
non capivano, non avevano la minima idea di quale essere diabolico avesse potuto far del male alla loro bambina, al loro angelo. Così la descrivevano, come un angelo: dolce, premurosa, obbediente, sincera e sempre
pronta ad aiutare in casa. Entrambi avevano lunghi orari di lavoro, e lei fin da piccola aveva saputo badare alla sorellina. Negli studi andava bene, insomma, normale, la sufficienza. Amici? Quelli di scuola. Soprattutto due ragazze che erano in classe con lei: Clara e Selena. Uscivano sempre insieme. Ragazzi, niente. «Me
lo avrebbe detto» balbettò la madre, facendo uno sforzo per articolare le parole. La sera in cui era morta nessuno si era allarmato per la sua assenza. Aveva detto
che andava a studiare a casa di Selena.

«E capitava spesso che rimanesse a studiare fino a
tardi in casa dell'amica?».

«Più spesso nell'ultimo anno. Diceva che le materie
nuove erano difficili e che Selena la aiutava» rispose
il padre.

«Controllavate che si trovasse davvero dove diceva
di essere?».

«No». Il padre fu categorico. Poi si giustificò: «Non ne avevamo motivo. Ci fidavamo di lei».

«E neppure la sera del delitto avete controllato».

Lui mi guardò dritto in faccia. I suoi occhi vitrei si erano come risvegliati:

«Mia moglie ed io ci ammazziamo di lavoro per mandare avanti questa casa, ispettore. Non potevamo star dietro a ogni passo di nostra figlia. Non era necessario. Non lo era! Qualcuno l'ha ingannata, qualcuno l'ha convinta a rimanere a scuola per farle del male. Ma perché non vi occupate di cercare l'assassino, invece di venire qui a farci sentire in colpa?».

«Nessuno vuole incolparvi di nulla, credetemi» dissi con estrema dolcezza. «Parleremo noi con i genitori di Selena. Sapete dove abitano?».

«No» disse il padre, annientato.

«Avete il numero di telefono?».

«No». Abbassò gli occhi. La madre scoppiò a piangere.

«Li rintracceremo, non preoccupatevi».

Mi avviai in silenzio verso la porta. Stavamo già uscendo, quando sentii la voce dell'uomo rotta dal pianto:

«Ispettore... noi... le nostre figlie sono la cosa più importante delle nostre vite, e...».

«Prenderemo il colpevole, signor Sanz. Cercate di ritrovare la calma. Avete un'altra figlia che ha bisogno di voi».

Era una mattinata chiara e bella. Sospirai. La parte brutta della vita contrasta in modo incredibile con la bellezza del mondo. Garzón non si trattenne più:

«Ne ha avuta di pazienza con quei due, Petra».

«Che cosa voleva? Che li prendessi a sberle?».

«Se lo sarebbero meritato. È chiarissimo che se ne fregavano delle figlie. Come se per loro contasse più il lavoro della vita».

Rallentai il passo fino a fermarmi. Mi voltai, lo fissai:

«È una critica crudele, la sua, viceispettore. Ed è anche superficiale, non coglie la radice del problema».

«Mi dica, cara collega, mi illumini».

«Oggi tutta la società è così, viceispettore. La gente si ammazza di lavoro, cercando di mettercela tutta, di dare il massimo, facendo propri i successi o i fallimenti dell'azienda. È una società di schiavi, peggio ancora di quando gli operai sputavano sangue per la pura sopravvivenza».

«Peggio?».

«Ma certo! Allora il lavoratore aveva coscienza della sua condizione, sapeva che era senza uscita; per questo ha finito per ribellarsi. Invece adesso tutti si sono bevuti quello che gli dicevano: puoi diventare ricco anche tu, anche tu puoi godere dei privilegi di questa società. Ricevono le briciole di una ricchezza e di un lusso che vedono grazie ai mezzi di comunicazione, e si sentono chiamati alla grande impresa di far prosperare i loro padroni. Non si ribelleranno mai. Trascurano la cura dei figli e anche la propria salute, piuttosto, ma fanno il loro dovere! È una contraddizione spaventosa».

«Bel comizio, ispettore. Ma se lei è così favorevole a un lavoro razionale e a misura d'uomo, allora perché mi costringe a stare alzato di notte per scrivere i verbali?».

«Santo cielo, Fermín! Lei è peggio del Re Sole, il mondo comincia e finisce con la sua persona».

«Mangia, bevi e pensa agli affari tuoi. Mio padre mi ha insegnato che questo è il modo per campare fino a cent'anni».

«Un vero intellettuale, suo padre».

«Cosa vuole? Era un contadino, però è vero che è campato a lungo, anche se con la schiena rotta per il troppo lavorare».

«È un rischio che certamente lei non corre».

Lui se la rideva sotto i baffi, felice di passare per un furbacchione scansafatiche.

Prima di andare alla scuola della ragazza decidemmo di fare una sosta in un bar per un rapido caffè. Mi allontanai per avvertire mio marito che non lo avrei raggiunto per pranzo come promesso. Quando tornai al banco, vidi che il mio collega si era già preso una bella fetta di tortilla di patate. Glielo feci notare:

«Garzón, non crede che sta mangiando addirittura più del solito da un po' di tempo a questa parte?»

«Ah, ispettore, lei non lo sa, Beatriz mi tiene a stecchetto. Frutta e una barretta energetica, questa è la mia triste cena» mi rivelò con aria afflitta. «Capisco che mia moglie si preoccupi del mio peso, ma se mio padre vedesse una cosa del genere approverebbe anche un divorzio. E dire che era così conservatore!».

«Lasci in pace il suo povero papà e rimettiamoci in marcia».

«Che ne dice, ispettore, non le andrebbe un goccet-

251

to di whisky, prima di andare? Solo per accompagnare il caffè».

«Un goccetto? Ma lei è matto!».

«A quanto ho capito ci toccherà passarci la giornata in quella scuola. O sbaglio?».

«Non sbaglia».

«Lei lo sa che cosa ci aspetta lì dentro? Professori isterici, mandrie di ragazzini, e forse anche un bel muro impenetrabile di ostilità».

«D'accordo, forse un goccetto non ci farà male».

L'Istituto di istruzione secondaria superiore Rafael Campalans aveva sede in un edificio di mattoni che sembrava una vecchia fabbrica: funzionale, anonimo, antiquato, nulla poteva far pensare che al suo interno le generazioni future si preparassero per un radioso avvenire. Sul portone era in attesa un giovanotto che ci venne incontro non appena ci vide.

«Di nuovo quel maledetto giornalista?» disse Garzón.

Lo guardai atterrita.

«Di nuovo?».

«Sì, ha già insistito per parlarmi alla Jarra de Oro, quando lei si è allontanata un attimo».

«Immagino che non gli avrà detto niente».

«Due sciocchezze, sperando che mi lasciasse in pace».

Non fu possibile continuare, il ragazzo ci aveva già raggiunti e chiamava il mio collega per nome.

«C'è qualcosa di nuovo, ispettore Garzón?».

«No, niente di nuovo» intervenni, scostandolo col braccio. Nell'atrio dell'istituto me la presi col mio sottoposto:

«Il commissario si è espressamente raccomandato di non dare informazioni alla stampa se non attraverso i canali ufficiali, è chiaro?».

«Ma erano davvero quattro cazzate, nessuna informazione importante».

«Né cazzate né frasi storiche. Niente, Garzón, silenzio assoluto».

Ci interruppe un uomo di una certa età con l'aria allucinata. Capii subito che era il custode.

«Cosa volete? Cosa ci fate qui?».

«Dobbiamo vedere il preside».

«Il preside non può vedere nessuno. Andate via, per favore».

Capii immediatamente. Mostrai il tesserino.

«Non siamo della stampa, siamo della polizia. Siamo qui per indagare sulla morte di Noemí».

Cambiò espressione udendo il nome della vittima. Si rattristò. Quel pover'uomo doveva sentirsi in colpa. Abbassò gli occhi e disse con voce smorta:

«Venite con me».

Il preside era un uomo sulla cinquantina, alto, magro, molto stempiato, vestito in modo informale ma con un paio di occhiali metallici che gli davano un'aria da prete. Ci salutò affabilmente, ci pregò di accomodarci e, prima che avessimo pronunciato verbo, si mise a parlare lui:

«Signori, ciascuno di noi purtroppo conosce le difficoltà del proprio lavoro, e riguardo al mio posso dirvi che dirigere una scuola superiore è diventata un'impresa titanica: ragazzi poco interessati allo studio, insegnanti demotivati, genitori che prendono le difese dei figli e non ci aiutano nel nostro lavoro... L'ultima cosa che può desiderare un preside è che si commetta un omicidio all'interno del suo istituto. Da quando è avvenuto il fatto, non c'è più niente che funzioni qui dentro. Ho dovuto chiamare i vigili per allontanare cameramen e giornalisti. I genitori sono isterici, vogliono ritirare i figli, minacciano di fare causa alla scuola per violazioni che neanche loro sanno quali sono, i ragazzi sono molto turbati, indisciplinati, non seguono le lezioni. Insomma, un clima impossibile. La domanda che voglio farvi è molto semplice: è proprio indispensabile per le indagini che veniate a investigare qui? Di persona, intendo dire».

«Per fortuna o per disgrazia non sono ancora state inventate le indagini virtuali, signor preside».

«In questo caso, ispettore, devo raccomandarvi la massima discrezione. Se volete vedere la scena del crimine, io stesso mi premurerò di accompagnarvi. E se ritenete necessario fare degli interrogatori, vi assegnerò un piccolo spazio con tavolo e sedie. È il vecchio laboratorio di scienze naturali, un po' ingombro di cimeli inutili, ma andrà bene, visto che non lo usa più nessuno. Adesso ne abbiamo uno molto più moderno. Ovviamente i vostri ingressi e uscite dall'istituto dovranno avvenire in orari diversi da quelli degli studenti. E vi pregherei di non passeggiare per i corridoi e, nei limiti del possibile, di non farvi vedere dai ragazzi. Se desiderate parlare con qualche allievo in particolare, avrete a vostra disposizione Iván, un giovane bidello molto efficiente che lo andrà a chiamare in classe e lo accompagnerà da voi. Iván potrà portarvi qualunque cosa di cui abbiate bisogno, anche il caffè. Sarà un luogo comune, ma ho sempre pensato che i poliziotti facessero largo consumo di caffè».

«E per andare in bagno?» chiese il viceispettore.

«Il laboratorio ha un piccolo bagno comunicante che ho già fatto sistemare».

«Mi sento in piena clandestinità» feci osservare con un sorriso.

«Vi prego di capire, non è un capriccio. È indispensabile che la vita dell'istituto ritorni alla normalità».

«Lo capiamo» risposi, anche a nome del mio collega.

«Un'altra cosa. L'assemblea dei genitori esige che qualunque colloquio con gli allievi avvenga alla presenza di un avvocato che garantisca la tutela dei minori. Ho pensato al legale che ci dà una mano in segreteria. Non sa nulla di procedura penale, ma basterà a tranquillizzare i genitori. E anche voi. Non credo che interferirà nel vostro lavoro, è una persona molto discreta. Sa quanto è importante per tutti noi far luce sull'assassinio di Noemí».

Dopo quella dittatoriale lista di norme e condizioni fummo scortati nella palestra. Percorremmo i corridoi come spie, badando a evitare le porte aperte delle aule dove si stava facendo lezione. Era tutto piuttosto assurdo. Il preside ci mostrò il punto esatto dove era stato trovato il corpo: davanti a uno dei finestroni con le inferriate che davano nel cortile. Intorno, niente di speciale. Materassini ammucchiati, palloni, attrezzi per gli esercizi, tra i quali le famose clave di legno.

Finalmente ci condusse nel nostro ufficio di fortuna. Era uno stanzino mal ventilato, pieno di scaffali carichi di marchingegni antiquati e barattoli di vetro. Garzón si avvicinò a curiosare:

«Venga a vedere, ispettore, che bestiacce!».

In effetti, sotto formalina, c'erano rettili vari, uno scorpione, una triste rana saltatrice.

«Che schifo!» continuò Garzón. «Non avevano altro posto dove metterci? Secondo me vogliono che ce ne andiamo alla svelta da questo istituto».

Come a contraddirlo, comparve in quel momento il bidello Iván, con due tazze di caffè. Sorridendo amabilmente, domandò:

«State comodi qui?».

«E ben accompagnati!» esclamò il viceispettore, indicando i reperti.

«Meglio questa compagnia che quella dei ragazzi, mi creda. Tutti dei delinquenti viziati. Se la situazione non fosse quella che è mi cercherei un altro lavoro anche domani».

«Avremmo bisogno di parlare con due compagne di Noemí. Clara e Selena».

«Ah, certo, la Martorell e la Rodríguez! Solo che prima dice il preside che dovete parlare con la dottoressa Marta Sardà, la tutor dell'istituto. Comunque l'avvocato non c'è ancora. Appena è qui, vi avviso».

Quando richiuse la porta, Fermín ed io ci guardammo.

«Non crede che questo preside si stia impicciando un

po' troppo degli affari nostri? Sembra che le indagini le diriga lui».

«Non ci pensi, Garzón. Conosce l'ambiente e sa quello che fa. Parlare con la tutor può essere un'ottima idea».

Pochi minuti dopo entrò una donna sui cinquant'anni, di statura media, un po' corpulenta. Era la tipica veterana delle lotte studentesche degli anni Settanta: capelli corti e grigi, occhiali di tartaruga, scarpe piatte, camicia ampia e jeans. Non un gioiello né un ornamento a ingentilire l'insieme. Appariva molto seria e non fece il minimo sforzo per sorridere.

«Si accomodi, prego» le disse il mio collega indicando l'unica sedia libera.

Tentai un discorsetto introduttivo che inquadrasse un po' la situazione:

«Sappiamo bene che è un momento tragico per tutti; ma se vogliamo prendere l'assassino dobbiamo farci forza e...».

Non mi lasciò continuare:

«Ditemi che cosa volete sapere. Il dolore per la morte di Noemí è qualcosa che non può essere espresso. Ciascuno lo sente a suo modo dentro di sé».

Era del tipo pratico e sbrigativo, meglio così.

«Mi dica, dottoressa, in che cosa consiste il compito del tutor in una scuola? Non essendo del mestiere, non sappiamo fin dove si estendano le sue competenze».

«Il tutor si preoccupa del processo formativo di ciascun allievo e ha funzioni di orientamento e sostegno. Se necessario incontra i genitori e raccoglie le impressioni degli insegnanti per una migliore valutazione delle attitudini del ragazzo e dei suoi progressi nell'apprendimento».

«E questo sostegno non richiede la conoscenza dei problemi personali, della vita affettiva dell'allievo?».

«Ecco, ispettore, se eventualmente l'allievo dovesse attraversare un momento difficile per questioni di natura personale, può consultarmi. A volte capita che sia il tutor a sospettare qualche problema, a partire dal comportamento o da un calo di rendimento dell'allievo, e allora lo convoca per approfondire. Ma non pensi che le cose vadano come nelle serie televisive americane, dove gli studenti si rivolgono al tutor per raccontare i fatti loro».

«Non vedo serie televisive» dissi con freddezza. «Ma credo di capire. Com'era Noemí come studentessa?».

«Non troppo brillante. Avrebbe potuto fare molto di più. Però aveva sempre la sufficienza e si interessava. Il che è già moltissimo, creda, non potrei dire altrettanto della maggior parte dei suoi compagni. Oggi i giovani non considerano lo studio come un'opportunità, ma come qualcosa di cui farebbero volentieri a meno».

«E che tipo di ragazza era?».

«Molto carina, come si suol dire. Tranquilla, rispettosa, gentile con tutti. Una delle migliori che siano passate per queste aule».

«E non aveva notato niente di strano ultimamente? Qualche distrazione, preoccupazioni, comportamenti anomali?».

«No. Ma è vero che negli ultimi mesi aveva maggiore tendenza a isolarsi. Sembrava più triste, e rendeva meno dal punto di vista scolastico».

«Di quanto tempo fa stiamo parlando?».

«Non saprei, un paio di mesi, forse tre».

«E lei l'aveva convocata?».

«Certo. Le avevo chiesto della sua vita, dei suoi problemi, ma vede...».

«Sì, ho capito, non è come in televisione. E Noemí non le aveva detto niente? Nulla che possa orientarci?».

«Aveva eretto una barriera. Strano, perché avevamo un rapporto splendido».

«Be', nel caso le venisse in mente qualcosa...».

«Non mancherò di farvelo sapere».

Un attimo dopo era sparita. Garzón fece udire la sua voce:

«Se l'avessi avuta io come tutor, quella lì, non le avrei detto neppure buongiorno».

«Si può sapere perché se la prende così tanto da quando abbiamo cominciato queste indagini, Fermín?».

«Perché lei è troppo conciliante, ed è indispensabile mantenere un coefficiente stabile d'incazzatura, altrimenti non funzioniamo».

«Inversione dei ruoli, allora».

«I ruoli sono fatti per questo, ispettore. Per poterli invertire».

«Non la sapevo così saggio, Garzón».

Uscii nel corridoio a telefonare. All'interno della stanza, per qualche strana ragione (secondo Garzón le pessime vibrazioni emanate da tutti quei serpenti in conserva) il telefono non prendeva.

«Sánchez, hai già i dati sul cellulare della vittima?».

«Sì, Petra. Il giorno della morte la ragazza ha ricevuto un messaggio che poi ha cancellato. E ne ha inviato uno, cancellato anche quello. Nei due casi, il telefono inviante e destinatario risulta appartenere a un certo Kevin Fernández Alcaraz. Kevin col cappa. Ti verifichiamo chi è?».

«Forse non sarà necessario, ti dico poi».

Garzón esultò dalla gioia quando gli riferii la novità.

«Me lo sento, ispettore, risolvere questo caso sarà come bere un bicchier d'acqua».

«Mai saputo che le piacesse l'acqua, Garzón. E anch'io, glielo assicuro, preferisco bere altre cose. Quindi andiamoci piano con i trionfalismi».

Il legale scelto dal preside chiese il permesso di entrare. Piuttosto giovane ma già un po' appesantito, poco curato nel vestire, non aveva l'aria di essere stato tra i più svegli del suo corso. E il suo modo di fare non smentì quell'impressione. Dopo aver gettato uno sguardo tinto di ripugnanza ai nostri colleghi sotto formalina, affrontò direttamente la questione:

«Non preoccupatevi per me, non intralcerò il vostro lavoro. Non interverrò nemmeno. Sono qui solo perché i genitori dei ragazzi stiano tranquilli. Mi sono portato il giornale e mi siederò lì nell'angolo. Fuori ci sono due ragazze, potete farle entrare».

Detto questo si accomodò e prima ancora che Clara e Selena fossero davanti a noi aveva già aperto il giornale alle pagine dello sport.

Le due ragazze ci guardarono con qualcosa che assomigliava molto da vicino all'orrore. Tentai un approccio psicologico-didattico e spiegai con calma chi eravamo e che cosa facevamo lì, sottolineando l'importanza del loro aiuto per la cattura dell'assassino di Noemí. Cominciai con una domanda precisa:

«Selena, la sera del delitto Noemí aveva detto ai suoi genitori che veniva a studiare da te. Ma probabilmente non è stato così».

«No, da me non è venuta».

«E sai dove intendeva andare?».

«No».

«Tu sapevi che avrebbe usato quella scusa per uscire di casa?».

«No».

«Però lo aveva già fatto altre volte».

«Non lo so».

La brevità di quelle risposte faceva presagire un mare di cose taciute. Mi rivolsi a Clara, più piccola e nervosa, e anche più terrorizzata.

«E tu? Hai qualche idea di che cosa può aver fatto Noemí la sera in cui è stata uccisa? Sai se doveva vedere qualcuno?».

«No!» si affrettò a rispondere la ragazza in una specie di lamento.

«Capisco. E di Kevin, che cosa mi dite di Kevin?».

I loro corpi sussultarono al solo suono di quel nome. Ci fu silenzio, un silenzio che mi guardai bene dal rompere, e che si prolungò per parecchi secondi, per mezzo minuto, per un minuto... alla fine Clara si voltò quasi implorante verso la compagna ed esclamò:

«Tanto lo sa, lo sa già! Diglielo tu, dài!».

Selena rimase zitta, anche se tremava.

«Che cosa c'è che non va con Kevin? Che cosa mi devi raccontare, Selena?».

Clara ormai piangeva a dirotto, con la faccia nascosta dalle mani.

«Davvero due ragazze come voi sono capaci di coprire un possibile assassino? Qualcuno che può aver ucciso Noemí con una botta in testa, così forte che il suo cervello ha smesso di funzionare, che il suo cuore ha smesso di battere, ed è rimasta lì peggio di un cane?».

La più piccola non resse più la tensione:

«Kevin era il suo ragazzo, il ragazzo di Noemí!».

L'avvocato abbassò il giornale e restò a osservare la scena. Temetti che mi rimproverasse per i miei metodi a effetto, ma era soltanto curioso di sapere.

«E dov'è adesso Kevin?».

«Sono tre giorni che non viene a scuola, non si fa vedere!» sbottò tra le lacrime la ragazza. Bingo! pensai. Un allievo dello stesso istituto! Forse aveva ragione il viceispettore in materia di bicchieri d'acqua.

«E tu, Selena, non c'è niente che vorresti dire?».

Selena stava zitta.

«Lei sa più cose di me perché erano amiche!» riprese Clara accusando la compagna. E questa, di colpo seria:

«Io davanti a loro non dico niente» e indicò col mento i due uomini presenti nella stanza. Li guardai, feci un cenno a Garzón e mi rivolsi all'avvocato:

«So che lei dovrebbe essere presente, ma forse...».

Lui si alzò senza farsi pregare.

«Io? Ma ci mancherebbe, ispettore. Vedo che è tutto sotto controllo. Stia tranquilla, torno più tardi».

Rimasi sola con le due ragazze. Clara continuava a piangere, scossa ogni tanto da singhiozzi. L'altra era bianca come un cencio. Sporsi la testa nel corridoio e dissi sottovoce a Garzón:

«Lei intanto provveda per il fermo di Kevin Fernández. E vada a informare il preside, prima di tutto».

Tornai alla mia scomoda sedia. Pregai le ragazze di sedersi anche loro. Selena non mi lasciò fare domande, si buttò a parlare con la stessa energia che prima aveva messo nel tacere. Sembrava una mitragliatrice:

«Kevin era il ragazzo di Noemí, uno stronzo. Erano mesi che uscivano insieme. Lui è all'ultimo anno, è più grande, chissà cosa si crede. Crede di essere il più maschio, il più figo, che ne so. La trattava di merda, usciva con altre, e poi glielo raccontava per farla star male. E la pigliava per il culo davanti agli altri, la faceva passare per scema. Se prendeva un bel voto, diceva che era secchiona. Se si vestiva bene, diceva che voleva fare la Barbie. Lui rideva, la usava e basta».

«In pratica la maltrattava psicologicamente» precisò Clara, assennata.

«È un bastardo, tutti le dicevano di lasciarlo e di mandarlo affanculo, però lei piangeva, diceva che lo amava, che sarebbe cambiato. E così lui ne approfittava ancora di più e se la faceva quando voleva, tanto lei diceva ai suoi che veniva da me. Le volte che andava bene, perché se si stufava non si faceva vedere, oppure le dava appuntamento e la cacciava via».

«Te l'ha raccontato lei?».

«Certo. Mica si vergognava, aveva bisogno di sfogarsi, poveretta. Solo che quando le dicevo di mollarlo, lei diceva che lo amava, che sarebbe cambiato».

«E secondo te lo sapevano anche altri?».

«Tutti lo sapevano. Noemí era molto aperta, e siccome quel che faceva lo faceva per amore, per lei non c'era niente di male».

«Ma quel ragazzo, che tu sappia, l'aveva mai aggredita fisicamente? Non parlo di aggressioni gravi, anche di uno spintone, uno schiaffo...».

Clara e Selena si guardarono. Poi rispose Selena:

«Non credo. A me non lo ha mai detto, ma magari sì. Non so».

La guardai negli occhi:

«E tu pensavi di non raccontare niente di tutto questo, Selena? Pensavi di non parlare di Kevin?».

«Io non faccio la spia».

«Tu non ti rendi conto della gravità del problema. Noemí è morta. È stata assassinata. Ma se quando era viva tu avessi parlato di questa situazione con qualche adulto, forse l'avresti aiutata».

«Ma io mica mi metto nelle storie degli altri».

«Ci sono storie e storie. E le storie violente riguardano tutti. Spero che adesso tu lo abbia capito».

I suoi occhi lanciavano frecce di odio puro. Clara mi guardava piangendo.

«Lei crede che sia stato Kevin a farle quello?» chiese tra le lacrime.

«Tu che ne pensi?».

«L'ho pensato subito, ma poi mi sono detta che uno come Kevin è un vigliacco, non avrebbe mai avuto il coraggio».

«Potete andare».

«E adesso se la prenderanno con me perché dicevo che Noemí veniva a casa mia quando non era vero».

«Questa è una cosa che sinceramente non mi preoccupa, Selena. Arrivederci».

Se mi fossi lasciata trasportare dai sentimenti le avrei rifilato due sberle. Non tolleravo l'idea che quella ragazzina petulante avesse tenuto nascosti maltrattamenti così gravi ai danni di quella che in teoria era la sua migliore amica. E se lo sapevano anche altri, nella scuola? Che cosa pensavano, allora? Che quel cretino sarebbe cambiato e sarebbe diventato il fidanzatino ideale per la povera Noemí?

Uscii nel corridoio in preda a un feroce attacco di malumore. Ero una tale furia che rischiai di travolgere una malcapitata che si stava avvicinando.

«Buongiorno, lei è della polizia?».

«Ispettore Petra Delicado. Posso aiutarla?».

«Sono Elena Vélez, insegno matematica. Avevo in classe Noemí. Possiamo parlare un momento?».

Tornai al mio posto con riluttanza. Cominciavo a sentirmi sotto sequestro in quella stanza infame, piena di serpenti galleggianti.

«Mi dica».

«In realtà non so se abbia qualche importanza quello che sto per dirle, ma preferisco che sia lei a giudicare. Il fatto è che Noemí si era confidata con me, negli ultimi tempi e... insomma, usciva con un ragazzo più grande che a quanto pare non la rendeva felice, era un po' prepotente con lei».

«Ho appena saputo che quel ragazzo era un maltrattatore psicologico in piena regola. E a lei sembra che la cosa possa non avere importanza?».

Si spaventò:

«Mi riferivo all'importanza per le indagini».

«E io mi riferisco al fatto in sé. Mezzo istituto sapeva che quella ragazza era vittima di vessazioni e nessuno è stato capace di aprir bocca quando era ora. Francamente, professoressa, non so cosa diavolo insegnate ai ragazzi in questa dannatissima scuola. La farò convocare se ha qualcosa da dichiarare davanti al giudice. Tante grazie».

Mi alzai e uscii, lasciando quella donna letteralmente a bocca aperta. I corridoi rimbombavano del chiasso dell'intervallo. Chiamai Garzón al cellulare:

«Si può sapere dove si è ficcato, Fermín?».

«Ha già finito? Dice il preside se possiamo aspettare dieci minuti finché gli allievi saranno tornati in classe, poi vorrebbe che venisse qui anche lei».

«Dica al preside che se ne vada all'inferno».

«Ispettore, io...».

Mi diressi come un treno verso la presidenza. Dai gruppi dei ragazzi che fendevo partiva qualche occhiata curiosa, niente di più. Aprii la porta senza bussare. L'espressione del preside fu di sbalordimento più che di collera. Garzón non si voltò nemmeno, si aspettava una mia irruzione.

«Ma, ispettore Delicado...».

«Caro signor preside, sono stanca e stufa di muovermi da clandestina in questo istituto. Sto facendo il mio lavoro, è chiaro? E lo faccio nel modo migliore di cui sono capace. Se questo può ferire la finissima sensibilità dei suoi studenti, mi dispiace, ma non intendo rispettare le regole vessatorie che lei ha deciso di imporci».

L'uomo si alzò in piedi dando mostra di grande dignità, e mi parlò con calma:

«Lo capisco benissimo, ispettore, ma queste regole che lei crede io imponga in modo del tutto arbitrario sono intese unicamente a preservare la normalità dell'istituto».

«Una normalità fasulla. Qui succedono cose di cui nessuno parla pur di mantenere le apparenze di un ambiente sereno. Lei lo sa che Noemí Sanz usciva con un ragazzo di questo istituto che la maltrattava psicologicamente?».

«Me ne stava parlando ora il viceispettore. No, non lo sapevo. Di queste cose possono semmai venire a conoscenza la tutor, qualche insegnante...».

«Mi sembra molto grave. Simili aberrazioni vanno affrontate, non nascoste. Se questo non fa parte della normalità della sua scuola, mi auguro che provvederà a fare qualcosa a partire da ora».

Me ne andai senza lasciarlo rispondere. Garzón mi venne dietro, mi raggiunse dopo qualche passo.

«Hanno già fermato il ragazzo?» gli chiesi.

«È in commissariato, ispettore».

267

«Che cosa ci fa in commissariato? Lo faccia portare qui».

«Qui, con le regole del preside?».

«Dove, se non qui, possiamo avere un avvocato che se ne frega? In commissariato ne chiamerebbero un altro, e avremmo le mani legate. Vediamo cos'avrà da dirci il giovane virgulto».

Garzón mi prese per un braccio, mi costrinse a fermarmi, mi parlò con voce serena.

«Adesso no, Petra, adesso lei non interroga nessuno. È troppo alterata, non è il momento giusto. Le dico io che cosa facciamo: cerchiamo una buona trattoria qui vicino e pranziamo tutti e due seduti, senza fretta. Dopo un buon caffè torniamo, e per quell'ora i colleghi avranno già portato il ragazzo. È la cosa migliore, dia retta».

Abbassai gli occhi, respirai profondamente. Garzón aveva ragione. «Un'eccessiva carica emotiva nel lavoro conduce all'errore». Mi ricordai la frase sentita all'accademia di polizia. Anche Confucio o Gandhi dovevano avere detto qualcosa di simile.

Il ristorante dove ci sedemmo era una specie di bistrot. In realtà il viceispettore aveva messo gli occhi su una trattoria familiare a prezzo fisso per muratori e operai, che purtroppo era piena da non poterci entrare. Ma anche il posto che avevamo trovato andava bene. Sul menu c'era un piatto di uova fritte con salsiccia basca pienamente degno di qualunque operaio non specializzato. Rimanemmo zitti per un po', concentrati sul cibo, finché io ruppi il ghiaccio.

«Mi spiace di avere ecceduto, Fermín, ma lei lo sa che ogni poliziotto ha la sua bestia nera. C'è chi odia i violentatori, altri detestano gli spacciatori, e io non sopporto chi maltratta i più deboli, anche solo psicologicamente».

«Certo, Petra; però le cose stanno così e dobbiamo essere professionali. Il ragazzo è stato fermato e se è stato lui confesserà. Vuole che lo interroghi io?».

«Faremo come sempre, un po' io un po' lei».

«Mi prometta di mantenere la calma».

«Glielo prometto».

«E anche l'equità. Quel Kevin sarà anche un poco di buono, ma non possiamo ritenerlo colpevole fin dal principio».

«Questo mi sarà un po' difficile, ma ci proverò».

Tornammo alla scuola carichi di buone intenzioni e di colesterolo. Trovammo due dei nostri agenti ad aspettarci. Ci consegnarono il cellulare del ragazzo in una busta di plastica e un foglio su cui era stampato il traffico in entrata e in uscita. Lo lessi prima di entrare. Il giorno del delitto, Kevin aveva inviato un messaggio a Noemí alle undici del mattino, e un minuto dopo lo aveva cancellato. Poi ne aveva ricevuto uno da Noemí.

La nostra presenza tra gli allievi questa volta non passò inosservata. Sguardi e bisbigli mi fecero capire che le norme del preside non erano poi così fuori luogo. Chiuso nello stanzino dei serpenti c'era il nostro uomo. Era un bulletto di periferia, di quelli che esercitano i muscoli in palestra, ma lo sguardo che ci lanciò era di panico, non di strafottenza. Si alzò in piedi, e Garzón lo fece sedere spingendolo per la spalla senza dir niente. Io partii con la prima domanda:

«Dov'eri la sera in cui Noemí è stata assassinata?».

«Io?» chiese il ragazzo come per guadagnare tempo.

«No, tuo padre» sbottò Garzón.

Bussarono alla porta. Era l'avvocato. Capii che non ci sarebbero stati altri scatti da parte del mio collega. Quel ragazzetto poteva essere uno stronzo o anche un assassino, ma bisognava salvare le forme. Per il pomeriggio l'avvocato aveva sostituito il giornale con un più moderno tablet. Tornò a occupare la sedia in un angolo e partì immediatamente per le sue navigazioni. Disse, già con un occhio allo schermo:

«Continuate, continuate pure. Non vi disturberò».

«Ripeto la domanda?» incalzai rivolgendomi al ragazzo.

«No, l'ho capita. Stavo con una ragazza».

«Dove?».

«Nella macchina di mio padre. In garage».

«E cosa ci facevi nella macchina di tuo padre con una ragazza?».

«Lei cosa s'immagina?».

«Un'altra risposta come questa e ti becchi un ceffone» intervenne il mio collega, indifferente alle forme.

Gettai un'occhiata all'avvocato e constatai che non aveva neppure alzato gli occhi.

«Dimmi il nome della ragazza».

«Non me lo ricordo. Esco con tante».

«Me l'hanno detto. Però eri il ragazzo di Noemí».

«Il ragazzo? Questo lo aveva deciso lei con le sue amiche».

«Di' pure quello che vuoi, però avevate rapporti intimi».

Scosse le spalle. Faceva il duro, ma non avevo dimenticato la faccia di terrore con cui mi aveva accolta poco prima.

«La mattina del giorno in cui Noemí è stata uccisa, esattamente alle undici e cinque, tu le hai mandato un messaggio. Poco dopo l'hai cancellato. Anche lei ti ha inviato un messaggio e tu lo hai eliminato. Che cosa c'era in quegli sms?».

«Io a quell'ora non ho mandato nessun messaggio. Alle undici siamo tutti giù in cortile».

«E questo cosa c'entra?».

«C'entra, perché in cortile non lasciano portare i cellulari. È una regola della scuola. I telefoni in classe, e in classe è proibito entrare».

Guardai l'avvocato, che senza alzare gli occhi dal suo schermo, confermò:

«È vero, è una norma del preside. Serve per incoraggiare la socializzazione tra gli allievi. Si era arrivati al punto che ciascuno se ne stava a messaggiare per conto suo senza interagire con gli altri».

«E nel frattempo le aule sono chiuse a chiave?» chiese Garzón.

«No, però i ragazzi non dovrebbero entrarci. Anche se a volte può capitare».

«Però io ero in cortile con i miei compagni. Chieda a loro!» intervenne Kevin.

«Tanto diranno quel che fa comodo a te».

«No, glielo giuro! Eravamo in quattro, seduti sotto le finestre. Glielo giuro su Dio! Chieda a Cuesta, a Hernández, a Mataró, sono tutti in classe con me. Li faccia chiamare, per favore!».

La sua flemma da bullo era sparita, adesso parlava con foga. Approfittai di quel cambiamento.

«Lo faremo, a tempo debito. E già che sei in vena di fare nomi, perché non mi dici come si chiama la ragazza che era con te quella sera?».

«Ma non c'è bisogno! I miei amici le diranno che ero in cortile. Io non ho mai saputo niente di quei messaggi!».

«Quanti anni hai, Kevin?» chiese il mio collega.

«Diciassette».

«Bene. Se sei fortunato finisci davanti al tribunale dei minori, altrimenti puoi già essere processato come un adulto. Dipende da quel che deciderà il giudice. Se va bene, vai in un riformatorio. Lì l'ambiente è duro, credimi. Ma non è niente in confronto al carcere. In carcere ci sono i delinquenti veri. Non c'è bisogno che ti spieghi che cosa può succedere a un ragazzino come te. Ne avrai visti di film, no?».

«Io non ho ammazzato nessuno, non è giusto! Chiedete ai tre, vi ho detto».

«Se credi di cavartela grazie alla testimonianza di tre ragazzini amici tuoi, stai fresco. Chi era la ragazza che era con te quella sera? Sputa l'osso. È l'unica opportunità che hai».

«Ma mica ero così scemo da ammazzare Noemí proprio qui a scuola!».

«A volte le cose si pensano in un modo e poi finiscono in un altro. Te lo dico io cos'è successo: le hai mandato un messaggio per darle appuntamento qui a scuola. Lei ti ha risposto di sì. A te piaceva far le cose complicate e metterla in difficoltà, non è vero? Me l'hanno detto che razza di stronzetto sei. Dov'ero rimasta? Ah, sì! Noemí è venuta all'appuntamento ma qualcosa è andato storto. Lei non ha voluto fare quello che volevi tu, o si è ribellata, o ti ha offeso... ce lo dirai tu com'è andata, e allora hai preso quella clava di legno e, con freddezza e determinazione, gliel'hai data sulla testa».

La storia della freddezza e determinazione è un piccolo trucco che funziona quasi sempre, perché a quel punto l'interrogato, se non ha i nervi saldi, può mettersi a gridare: «No, lei mi è venuta addosso, io non ci ho più visto, mi sono difeso, è stato senza volerlo...». Ma con Kevin non funzionò, anche se si comportò come un pesce preso all'amo. Protestò, si alzò in piedi, si mise a camminare per la stanza, ruggì come una bestia in gabbia. Garzón lo fermò.

«Basta! Siediti o dovremo chiamare gli agenti per farti immobilizzare».

Guardai l'avvocato e rimasi stupefatta nel vedere che malgrado il chiasso era rimasto curvo sul suo aggeggio elettronico come un monaco su un libro di preghiere.

«Devi dirci il nome, il nome di quella ragazza, Kevin. O forse non ti va di dirlo perché non esiste, questa è la pura verità» tentò il mio collega ancora una volta.

«Il fatto è che non posso dirlo!» gridò il ragazzo sul punto di mettersi a piangere.

«E perché non lo puoi dire? Chi è questa ragazza, la figlia di un boss della mafia?».

«No. È la Lori. Loreto Santaollalla».

Il rumore che fece la sedia cadendo ci immobilizzò. L'avvocato era scattato in piedi, attonito. Si avvicinò e gli disse:

«Stai scherzando».

«No, non scherzo affatto. Ogni tanto ci vediamo, è una tipa tranquilla. Facciamo quel che dobbiamo fare e basta».

L'avvocato era sconvolto. Lo guardammo perplessi. Finalmente, senza aspettare una domanda, si voltò verso di noi e disse:

«Loreto Santaollalla è la figlia del preside».

«Che casino» sospirò il viceispettore con gli occhi al cielo.

«Può dirlo forte» rispose l'avvocato, come se in frangenti così spiacevoli ci fosse da scherzare.

Tutto quel che seguì fu grottesco e insieme tragicamente reale. L'innominabile Loreto confermò l'alibi dello sciupafemmine in erba, e lo fece con una franchezza che era un chiaro atto di ribellione contro il padre. Quanto a lui... aveva un'aria molto abbattuta e preoccupata. Probabilmente, come prima o poi capita a tutti i genitori, si poneva la domanda di don Sigismondo nella *Vita è sogno*: «Che peccato ho commesso io nascendo?». Ma questi erano aspetti privati che non ci riguardavano. Per noi il punto era che Kevin Fernández restava fuori dal delitto. Tanto più che i tre moschettieri da lui citati come testimoni confermarono che quella mattina, durante l'intervallo, non aveva mai abbandonato il cortile. Così come stavano le cose, era il caso di fidarsi.

Tornammo in commissariato a mani vuote. E lì trovammo ad aspettarci il commissario Coronas per una lavata di capo con i controfiocchi. Chi era stato il cretino che aveva parlato con la stampa? Ci mostrò sul suo tablet l'edizione online di un giornale locale. Dopo una brevissima ricapitolazione dei fatti si leggeva: «Alla polizia non piace occuparsi di un delitto avvenuto all'interno di una scuola, dove "bisogna andare con i piedi di piombo per non ferire la suscettibilità di insegnanti e genitori" dichiara uno degli ispettori incaricati delle indagini». E visto che questa volta la cretina non ero io, chiesi il permesso di ritirarmi e mi chiusi nel mio ufficio a meditare.

Che strana sensazione: da una parte mi sentivo frustrata per non essere riuscita a dare una lezione allo stronzetto. Dall'altra ero scandalizzata con me stessa perché l'indignazione mi aveva impedito di considerare che quel ragazzo poteva essere innocente. È sempre rischioso giudicare in base all'emotività e alle convinzioni personali. Ma in un lavoro come il mio certe reazioni vanno lasciate a casa. Solo che ora, per proseguire nelle indagini, quali elementi avevamo? Praticamente niente. A chi può venire in mente di uccidere una ragazza come Noemí all'interno di una scuola? Nessuno può avere motivi per odiare una giovane così tranquilla, docile, remissiva... Una rivale che voleva portarle via il ragazzo? Ma se il ragazzo andava con tutte! Qualcuno che voleva far ricadere la colpa proprio su di lui, attribuendogli un crimine che non aveva commesso? Eccessivamente macchinoso. E poi ci saremmo trovati di fronte al classico ago nel pagliaio. Noemí non aveva nascosto a nessuno la sua storia infelice con Kevin. Lei cercava gente con cui condividere le sue pene d'amore. Quindi chiunque avrebbe potuto voler... Ma volere cosa? Ucciderla per dare una lezione a lui? Assurdo. Se è vero che gli adolescenti fanno cose poco meditate e assurde, come diceva Garzón, qui l'assurdità era sproporzionata.

L'unica possibilità era scendere di un gradino: chi poteva essere entrato in classe la mattina del delitto per mandare quei messaggi? Toccava tornare all'istituto. Ne eravamo usciti in modo troppo precipitoso, forse per via della situazione imbarazzante che si era creata con il preside. Pover'uomo, pensai, non deve essere simpatico scoprire che tua figlia, educata nel migliore dei modi, se la fa con un elemento simile. In quel momento entrò il viceispettore:

«Certo che lei, Petra, è una vera campionessa di solidarietà! Appena ha visto che le cose si mettevano male se l'è data a gambe».

«Avevo bisogno di pensare».

«Al comunicato stampa?».

«Come?».

«Guardi che ce n'è per tutti, non creda. Ha detto il commissario che deve immediatamente scrivere un comunicato sull'andamento delle indagini. Lo rivedrà lui personalmente e lo passerà all'ufficio stampa prima della chiusura dei giornali».

«Ci metto due minuti».

«Ne dubito».

«Si sbaglia. Dirò che siamo sulla buona strada e che non scartiamo nessuna possibilità».

«È quello che si dice sempre, no?».

«E che cosa vuole che scriva, che non ci stiamo capendo un accidenti? Le figuracce con la stampa le lascio volentieri a lei».

«Molto simpatica».

«Se ne vada a casa, Fermín. Domani ci alziamo presto per andare a scuola. E abbiamo ancora i compiti da fare».

Il mattino dopo il preside non era nel suo ufficio. Ci ricevette Marta Sardà, la tutor, che a quanto capimmo svolgeva anche le funzioni di vicepreside. Lei stessa tenne a spiegare:

«Povero Luis, c'è rimasto così male. Un uomo come lui, così per bene, così attento e preparato, sapere che la figlia frequentava un ragazzo come quello...».

«Forse la cosa peggiore è che l'abbia saputo in questo modo» dissi, tanto per dire qualcosa.

«Lo avrebbe saputo comunque» rispose lei con acredine. «Ultimamente questa scuola si è trasformata in un posto invivibile. Nessun senso dell'etica, nessun impegno, nessun amore per lo studio, solo pettegolezzi e chiacchiere. Comunque immagino che ora invierete Kevin Fernández in qualche struttura, no?».

«Noi non inviamo nessuno da nessuna parte. È il giudice a decidere, e non mi pare che quel ragazzo abbia commesso alcun reato».

«Magari quello che fa non è punito dal codice penale, ma non negherete che...».

La interruppi spazientita:

«Abbiamo cose più importanti di cui occuparci».

«Ah, sì? Che cosa, per esempio?».

«Per esempio scoprire chi ha ucciso Noemí Sanz».

«Ciò non toglie che prevenire il delitto sia più importante che punirlo».

«Trasmetteremo questa sua idea al nostro commissario perché la faccia pervenire al ministro dell'Interno».

La sua faccia si trasformò in una maschera dagli occhi inespressivi.

«Dottoressa» le dissi, «ora noi faremo un giro per l'istituto. Abbiamo qualche domanda da fare qua e là. Spero che a nessuno venga in mente di ostacolarci».

«Fate quello che volete, ma vi prego di non entrare nelle aule a lezione iniziata».

«Certo che no».

Lasciammo la presidenza con un saluto gelido. Garzón sbuffò.

«Quella donna è una vera idiota».

«Dev'essere una specie di talebana dell'istruzione».

«Sarà, ma si contraddice. Si lamenta che qui non si fa altro che spettegolare, e ieri sembrava l'unica a non sapere che Noemí usciva con lo stronzetto. Dice che dovremmo mandarlo in un riformatorio, e poi sostiene che la legge non dovrebbe punire ma prevenire. Lei ci capisce qualcosa?».

«No, ma si sa che la gente dogmatica è piena di contraddizioni».

«E adesso dove stiamo andando, Petra?».

«Torniamo nell'atrio, voglio parlare col signor Leandro, il custode».

Il signor Leandro se ne stava nel suo gabbiotto con una noia di decenni scritta in faccia. Subito non diede segno di riconoscerci, ma poi sorrise tristemente e annuì più volte quando gli dissi che avevamo qualche domanda da fargli.

«Signor Leandro, in questa scuola è proibito salire in classe durante la ricreazione, non è così?».

«Sissignora».

«E gli allievi rispettano questa norma?».

«Sì, di solito sì. Sanno che se scopriamo qualcuno lo mandiamo dritto dal preside».

«E gli altri invece possono entrare?».

«Quali altri?».

«Non saprei: le donne delle pulizie, i bidelli, i professori...».

«Le donne delle pulizie no, perché vengono molto presto, prima dell'orario scolastico. Iván e io nemmeno, perché siamo giù a tener d'occhio il cortile. Qualche insegnante sì, può capitare che salga, per compilare il registro, o correggere i compiti, cose così».

«Lei ricorda se la mattina della morte di Noemí qualcuno era salito nelle classi?».

«Oh, signora, non lo so! Di sicuro non stavo badando a questo».

«E lei crede che Iván avrebbe potuto notare qualcosa quella mattina?».

«No, Iván era con me nel cortile quella mattina».

«Ed è sicuro che nessuno dei ragazzi si fosse allontanato per qualche motivo?».

«Be', abbastanza sicuro. Per me tutti i ragazzi erano lì».

«Grazie, questa era l'unica cosa che volevo sapere».

Garzón corse subito alle conclusioni:

«Bisognerà pensare che è stato un intruso a uccidere Noemí».

«Neanche per sogno. Non dimentichi i messaggi sui cellulari».

«Un professore, allora?».

«Bisogna fare un tentativo in questa direzione».

Marta Sardà oppose mille obiezioni quando le spiegammo che cosa volevamo. Era ovvio che stava cercando di far pesare il suo potere assoluto sulla scuola. Ma poi cedette, e alle sei del pomeriggio, alla fine delle lezioni, tutti gli insegnanti che erano nell'istituto la mattina del delitto si ritrovarono intorno a un tavolo in sala professori. Erano quattordici. Uomini e donne di varie età e appartenenti alle più diverse tribù urbane: giovani contestatori, signori di mezz'età, massaie, trentenni sexy con la french manicure. Riconobbi la professoressa di matematica, la salutai con un cenno del capo, lei mi rispose con un sorriso.

«Professori» cominciai, «vi ho riuniti qui per farvi una domanda molto semplice: Qualcuno di voi è salito nelle aule della Prima e della Terza B, durante la ricreazione, il giorno in cui Noemí è stata uccisa? Vi prego di fare uno sforzo di memoria».

Ci fu un istante di perplessità e poi tutti cominciarono a scuotere la testa.

«Vi ricordate di qualcuno, chiunque fosse, che vi abbia detto di dover salire in classe per qualche ragione, o avete visto qualcuno salire ed entrare in una di quelle aule?».

La reazione fu nuovamente negativa. Annuii, guardai Garzón. Lui alzò un dito per chiedere la parola. Acconsentii. Il suo vocione riempì tutta la sala.

«Vorremmo sapere se per caso Noemí avesse confidato a qualche insegnante che usciva con Kevin Fernández. Basterà che alziate la mano».

Contai le mani alzate: undici. Non potevo crederci. Allora chiesi:

«E tutti voi sapevate che quella relazione era, diciamo... distruttiva per lei?».

Si moltiplicarono i segni di conferma. L'insegnante di matematica chiese la parola:

«Noemí era una ragazza molto sincera, di quelle che ancora si fidano dei professori, per questo raccontava il suo problema».

Li lasciammo andare. Uscimmo a prendere un caffè. Ero ansiosa di scambiare le mie impressioni con il viceispettore. Appena ci sedemmo al tavolino di un bar, fu lui a cominciare:

«Senza prove materiali, la vedo dura, ispettore. Qui bisogna andare a naso. E il mio mi dice che è molto strano che mezzo corpo insegnante sapesse vita morte e miracoli della vittima mentre quella tutor dei miei stivali non sapeva un beneamato cavolo di niente».

«Il suo naso si esprime in modo un po' colorito, ma devo dire che ha ragione. È molto strano».

«Non crede che dovremmo tornare a interrogarla proprio su questo?».

Immersi lo sguardo nelle profondità della mia tazzina. «Era venuto in mente anche a me, però... Fermín, quale movente poteva avere quella donna per uccidere una ragazzina di quindici anni?».

«I moventi sono tanti quante sono le persone, Petra. Tutti possiamo avere una ragione per uccidere, solo che non lo facciamo. Senza contare che forse l'intenzione non era quella e le è scappata la mano. Forse lei non c'entra niente, ma il dubbio io vorrei togliermelo».

«Sì, però dobbiamo andare cauti. Niente domande che possano metterla sull'avviso. Torniamo all'istituto».

Il bidello Iván ci aprì e ci chiese se avessimo bisogno di qualcosa. Gli risposi decisa:

«Ci chiami la professoressa di matematica e le dica che dobbiamo parlarle. La aspettiamo nel laboratorio di scienze».

Nel giro di un quarto d'ora la professoressa era lì, tranquilla, solo avvolta da un velo di curiosità. La pregai di sedersi.

«Lei è una donna molto discreta, vero?».

«Veramente non me lo sono mai domandato».

«Se lo domandi, allora».

«Sì, credo di esserlo».

«Discreta e sensibile. Di fatto, lei è stata l'unica tra gli insegnanti a informarci dei problemi di Noemí. E questo ci piace, ci pare che fosse la cosa giusta da fare».

«Grazie».

«Vorrei sapere alcune cose che forse non sono troppo rilevanti per le indagini, ma che possono servirci. Però le chiediamo la massima riservatezza su questo colloquio».

«Può stare sicura che non aprirò bocca».

«Mi dica, che tipo di persona è Marta Sardà?».

Non poté o non volle evitare di mostrarsi stupita e anche leggermente delusa. Doveva essersi aspettata una domanda di ben altro tenore.

«La dottoressa Sardà? Non posso dire di essere una sua amica, però abbiamo sempre lavorato bene insieme. È una buona tutor, molto attenta».

«E dal punto di vista personale?».

«Non lo so. Vive sola, è una donna indipendente, ecologista, femminista, riservata... Ci sono molte persone come lei nel mondo della scuola».

«Ma essendo, come lei dice, molto attenta, com'è possibile che non sapesse di quel che avveniva tra Noemí e Kevin?».

«Vi ha detto lei che non lo sapeva? La cosa mi stupisce. Aveva molta simpatia per Noemí. Diceva che quando si fosse decisa ad avere più fiducia in se stessa quella ragazza sarebbe arrivata molto lontano. Ma... aspetti; non è possibile che non sapesse. Un giorno ero con lei in biblioteca ed è passata Noemí. Aveva gli occhi rossi, si vedeva da lontano un miglio che aveva pianto. E mi ricordo che Marta mi ha detto: "Chissà cosa le avrà fatto stavolta quello stronzo". Avevo pensato subito che lo stronzo, mi scusi l'espressione, fosse Kevin».

«E non vi siete dette altro?».

«No, come le dico, eravamo in biblioteca, non si poteva parlare».

«Mi dica, lei ha il numero di cellulare di Marta Sardà?».

«Mi pare di sì. Mi lasci controllare... Sì, ce l'ho».

«Può darmelo?».

Rimase immobile, non sapeva cosa dire.

«Preferirei...».

«Posso averlo anche attraverso i nostri canali; se lo chiedo a lei è per una questione di rapidità; e perché so che lei non riferirà a nessuno che me lo ha dato».

«Be', io...».

«Stia tranquilla, la prego. Non sta danneggiando la sua collega, si tratta solo di una verifica che vorremmo fare in via del tutto confidenziale».

«E va bene, ispettore».

Mi lesse il numero, che Garzón digitò all'istante. Poi uscì. Il viceispettore mi guardò.

«E adesso cosa facciamo?».

«Andiamo in commissariato. Le spiegherò là».

Garzón sgranò gli occhi quando gli esposi il mio piano. Mi oppose le obiezioni di sempre, legalitarie e improntate a un'idea molto alta di serietà ed etica professionale. Ma era chiaro che moriva dalla voglia di unirsi alla mia iniziativa.

«E che cosa pensa di scrivere nel messaggio?».

Mi alzai e feci qualche giro per l'ufficio. Garzón era incuriosito.

«Che cosa fa?».

«Penso allo stile da usare. Dobbiamo farci passare per un allievo, per un genitore, per un estraneo? Ogni sms, nella sua brevità, rivela un mondo».

Alla fine mi decisi per un volgarissimo stile da ricattatore di telefilm. Non tutti seguono le serie televisive ambientate nelle scuole, ma quelle poliziesche raccolgono una larghissima audience. Avrebbe fatto il suo effetto. Presi un foglio e scrissi:

SO COSA HAI FATTO A NOEMÍ. VIENI AL BAR LA PALMERA DI CALLE ROSELLÓ DOMANI ALLE SEI. SE NON TI PRESENTI PARLO.

Garzón approvò il mio parto letterario-telematico. Fu lui a mandare il messaggio alla Sardà, con l'impostazione «numero privato».

La giornata successiva era cruciale. Dovevamo andare all'istituto come se niente fosse e fare in modo che la tutor ci vedesse. Nulla doveva far sospettare che al bar La Palmera potesse incontrare qualcuno di noi.

E così ci presentammo alla scuola di primo mattino, ci aggirammo per i corridoi, effettuammo una nuova e del tutto inutile ispezione oculare della palestra e andammo a chiuderci nel nostro ufficetto a sorseggiare tutti i caffè che Iván volle portarci. Nel pomeriggio ripetemmo l'operazione, e alle sei meno un quarto Garzón chiese a Iván:

«Potremmo parlare un momento con la Sardà?».

«È appena andata via. Oggi è uscita prima».

Partimmo di corsa. Eravamo già in macchina quando suonò il mio cellulare. Era l'agente Yolanda, dal bar La Palmera:

«Ispettore, secondo la descrizione fisica che mi avete dato, l'indiziata è già dentro il bar. Si sta guardando intorno e sembra che voglia sedersi a un tavolo. Che cosa faccio?».

«Mostrale il tesserino e fermala. Noi arriviamo».

Mi voltai verso il viceispettore, che sorrise mentre metteva in moto.

«Il gioco sporco ha funzionato».

«E non sarà l'ultima volta».

«Lei qualche volta mi spaventa, Petra».

«Il mio ideale sarebbe spaventarla tutte le volte».

Marta Sardà ci stava aspettando, indignata, più che impaurita. Scattò senza darci il tempo di parlare.

«Posso sapere che cosa sta succedendo?».

«Esattamente quello che sembra. Questa giovane

agente l'ha tratta in arresto. Adesso siamo arrivati noi e la portiamo in commissariato per interrogarla».

«Per quale motivo?».

«Per l'assassinio di Noemí Sanz».

Scoppiò in una risata da pessima attrice e mi fissò.

«È impazzita?».

«Non credo. Venga con noi, per favore. Ha un avvocato?».

«No».

«Ha il diritto di averne uno quando verrà interrogata».

«Vedrò se mi servirà. Tutto questo è talmente assurdo che non so cosa pensare. Siete sicuri di quello che fate?».

«Dottoressa, può dirmi perché si trova in questo bar?».

«Sono venuta per un ridicolo messaggio sul cellulare. Volevo vedere chi aveva avuto il coraggio di farmi uno scherzo di pessimo gusto».

«Andiamo».

Adesso tutto dipendeva dalla nostra abilità. E anche dalla sua capacità di resistenza.

Nella sala degli interrogatori la pregammo di sedersi e le offrimmo un caffè. Dalle varie strategie possibili era escluso l'uso della violenza o qualunque genere di pressione diretta. Tutto doveva essere lento, noioso, ripetitivo. Non stavamo cercando contraddizioni, ma il crollo psicologico e la successiva confessione. Dovevano trascorrere le ore.

E trascorsero, o meglio, si trascinarono. Facevamo domande generiche, a volte assurde, ripetute fino alla nausea. Dov'era la sera del delitto? Chi aveva visto, con chi aveva parlato? Aveva scritto lei, e poi cancellato, i messaggi di testo che erano corsi tra i cellulari di Kevin e Noemí? Aveva dato appuntamento a entrambi con quei messaggi? Lei era sempre convinta di non volere un avvocato, ma la sua capacità di resistenza cominciava a cedere. Erano passate tre ore quando diede i primi segni di nervosismo.

«Per quanto ancora pensate di continuare? Lasciatemi andare. Io non c'entro niente con questo crimine orrendo e voi lo sapete».

Ritenni giunto il momento per il mio sparo a salve.

«Marta, abbiamo cercato di fare in modo che confessasse spontaneamente. Sarebbe stato molto meglio per lei. Ma non lo ha fatto e la mia pazienza è arrivata al limite. Le dirò la verità: qualcuno l'ha vista quella sera entrare nella palestra prima del delitto. Questo qualcuno in un primo tempo ha taciuto, ma adesso ha deciso di parlare».

Feci una pausa. Garzón e l'interrogata mi guardavano con identico sbalordimento. Cercai di mantenere la calma. Avevo deciso di giocare forte e non potevo più tornare indietro.

«Lei aveva una relazione di tipo sessuale con Kevin. Noemí l'aveva saputo e minacciava di raccontarlo a tutti. È stato questo a spaventarla al punto che ha pensato di ucciderla».

Reagì come una furia. Mostrò il bianco degli occhi, si mise a gridare, si afferrava i vestiti come se volesse strapparseli di dosso. Si piegò su se stessa e cadde a terra in ginocchio. Mi spaventai veramente, e Garzón più di me.

«Chiami un medico!» gli gridai.

Marta Sardà si tirò un po' su, scosse la testa, indicò con la mano qualcosa che aveva accanto.

«La borsa» disse debolmente.

Gliela avvicinammo e lei tirò fuori un blister di pastiglie. Garzón mi sussurrò all'orecchio:

«Stavolta mi sa che ha esagerato».

«Non vuole che la veda un medico?» dissi rivolta alla donna.

«Acqua» mormorò.

Prese un paio di pastiglie. Mi guardò.

«Lasciatemi riposare una mezz'ora».

«Se non si sente bene continuiamo domani».

«No, oggi. Voglio parlare. Lasciatemi un momento da sola. Adesso mi riprendo».

Mi bastò chiudere la porta per essere assalita dai rimproveri del mio sottoposto.

«Santo Dio, ispettore! Ma come pensa di cavarsela adesso? Come li giustifica tutti questi trabocchetti, queste testimonianze fasulle?».

«Se funziona, l'avremo in pugno. E se no, è la sua parola contro la nostra. Le ho ricordato due volte che aveva diritto a un avvocato e non ha voluto darmi retta. Che si arrangi».

«E adesso lei crede che dopo questo attacco di nervi confesserà? Io non lo so, ispettore, a me sembra molto pericoloso».

«Ma vada al diavolo, Fermín! Mi trova nel mio ufficio. Mi avvisi quando l'isterica sarà in condizioni di parlare».

Mi rifugiai nella mia tana. Ero furibonda. Avevo mentito, avevo imbrogliato le carte, e mi ero ficcata in una situazione assurda. Ero convinta che quella donna avesse ucciso, ma non avevo la minima idea del perché. Dovevo calmarmi. E dato che non ho mai avuto la pazienza di imparare lo yoga o altre tecniche di rilassamento, mi misi a navigare su internet alla ricerca di scarpe all'ultima moda. Ho sempre pensato che le scarpe sono piccole opere d'arte da ammirare. Cominciarono a sfilare davanti ai miei occhi: tacchi, zeppe, décolleté, francesine, sandali, stivaletti, ballerine, mocassini... Perfino i nomi erano belli, carichi di suggestioni. Dopo un po' mi sentii meglio e passato qualche minuto Garzón socchiuse la porta.

«Adesso può parlare. Venga».

Era vero che poteva parlare, ma aveva i gesti e la voce di una lentezza irreale. Sorrise quasi, quando entrai.

«Si sieda, ispettore. Anche se mi vede un po' esitante, sto bene. Da molti anni prendo farmaci che mi permettono di fare una vita normale. L'episodio di poco fa è dovuto a un eccesso di stress, ma adesso è passato. Il medico che mi segue mi ha dato queste pastiglie per i casi d'emergenza che grazie al cielo funzionano abbastanza bene».

«Di che cosa soffre?» domandai.

«Di niente, di avere sbagliato tutto nella vita».

Ci fu un silenzio fatto per metà di diffidenza e per metà di curiosità. Lei continuò, tranquilla, quasi serafica:

«Non le racconterò la storia della mia vita, capisco che non è la sede adatta. Però non ho paura di dire che perfino la mia nascita è stata uno sbaglio. Di lì in poi, io stessa sono stata la responsabile dei miei errori: mi sono scelta gli amici sbagliati, mi sono innamorata di chi non dovevo, ho abbracciato la solitudine senza domandare aiuto a nessuno né aprirmi agli altri. Non mi chieda di continuare. Ma due cose positive mi sono rimaste: le mie idee e la scuola. Grazie a questo sono riuscita a vivere fino adesso». Si guardò intorno, aveva la bocca impastata. «Posso avere dell'acqua?». Garzón si affrettò a passarle una bottiglietta non ancora aperta. Lei si schiarì la gola e riprese quel racconto che non si sapeva dove sarebbe andato a parare. «Prima, quando lei mi ha accusata di avere una relazione con Kevin, per poco non mi sono messa a ridere. Non è stato un bell'argomento per provocarmi. La sola idea di avere il minimo contatto fisico con quel ragazzo... lasciamo perdere. Eppure in quel momento mi sono resa conto che di qui in poi tutto cambia. Voi avete sospettato di me, mi avete arrestata: l'aspetto pubblico della questione non è più sotto controllo. La gente comincerà a parlare, e chissà quante falsità possono venire fuori, insinuazioni sordide, cattiverie gratuite. Io non ho lottato tanti anni per le mie idee perché adesso chiunque, e penso soprattutto i miei allievi, debba sentire simili aberrazioni su di me».

Garzón mi fece un cenno con gli occhi. Credetti di capire che mi chiedeva di riportarla in argomento. Ma non ce n'era bisogno, ora ci avrebbe detto la verità.

«Noemí l'ho uccisa io». La voce le mancò e cercò il coraggio per continuare. «Potete anche non credermi, ma è stato un incidente. Voglio dire, non c'è stata premeditazione. Noemí era una delle ragazze a cui tenevo di più. Non che fosse straordinariamente intelligente, ma aveva forza di volontà, si impegnava, si dava da fare. Dopo le medie diceva che voleva fare studi tecnici, di breve durata, per mettersi subito a lavorare. Poi, grazie ai miei consigli, aveva cambiato idea e si era decisa a prepararsi per andare all'università. E aveva un carattere stupendo, era solidale, allegra, educata... Finché un giorno tutto è cambiato».

«Si era innamorata di Kevin» la interruppi.

«Quel Kevin, che rovina! Aveva dovuto dirmelo lei, perché tra le tante condizioni che lui le imponeva, c'era quella di non farsi mai vedere insieme quando erano a scuola. Non la riteneva alla sua altezza. Basta questo per capire che razza di disgraziato era. La calpestava, la disprezzava, la umiliava, e un trattamento simile era deleterio per la sua personalità, per non parlare del rendimento scolastico. Ma perché perdere tempo a spiegarlo? Ormai è chiaro a tutti che era un maltrattatore. Eppure lei sopportava ogni cosa! Mille volte l'avevo esortata a lasciarlo, a rendersi conto del danno che lui le stava facendo, ma non c'era verso. "Lo amo" mi rispondeva. "Cambierà". Ridicolo! L'unica a cambiare era lei, e di male in peggio. Stupide ragazzette! Ho passato metà della mia vita a lottare per i diritti delle donne. E che cosa sono costretta a vedere adesso che si avvicina l'età della pensione? Delle teste vuote che sognano il principe azzurro, il matrimonio, un ruolo subalterno pur di avere qualcuno che le porti a letto. E come si vestono, poi, come prostitute, dimenticando ogni ideale di emancipazione o di uguaglianza! È patetico, credetemi, patetico!».

«Per favore, si calmi» intervenni, temendo un nuovo attacco che allontanasse la confessione.

«Sono calmissima, e salda nella mia decisione: dire la verità. Ora vi spiego quello che è successo. Non sapendo più cosa fare per convincere Noemí a lasciare Kevin, avevo ideato un piano: durante l'intervallo sono entrata nella classe di Kevin, sapevo già qual era il suo banco, e ho scritto a Noemí dal suo cellulare: "Alle nove di sera giù in palestra. Ti prego vieni". E poi dal cellulare di Noemí ho inviato a Kevin lo stesso messaggio. Dovevano venire tutti e due. Una volta in palestra, avrei parlato con entrambi e avrei cercato di far paura a Kevin perché non si azzardasse più a fare sciocchezze. Ero certa che entrambi avrebbero cancellato il messaggio subito dopo averlo letto, come infatti è successo. Ma naturalmente il disgraziato non si è fatto vedere, e nemmeno ha pensato di mettersi in contatto con Noemí, oltraggiandola ancora una volta e andando con un'altra. Con la figlia del preside, santo cielo! E lei invece è venuta. Ho cercato di intavolare un dialogo profondo, di farle capire che poteva giocarsi il suo futuro accettando appuntamenti come quello. Lei si è arrabbiata. Mi ha detto che dovevo smetterla di cercare di separarla dal suo ragazzo, che non ero nessuno per giudicare il loro rapporto, che non dovevo immischiarmi nella sua vita. Le ho risposto a tono. Lei ha dimostrato tutta la sua immaturità. Mi ha insultata, mi ha dato della zitella frustrata, e ha detto esattamente quello che ha detto lei, che volevo portarle via Kevin, che volevo "trombarmelo", questa è stata l'espressione che ha usato. Lì non ci ho più visto, le ho tirato una sberla, lei si è messa a gridare come se avesse perso la ragione. Allora ho preso una delle clave che erano lì e gliel'ho data sulla testa con tutte le mie forze, volevo che smettesse...».

Si interruppe, tremò. Credevo che scoppiasse a piangere, ma non lo fece. Si riprese e aggiunse:

«Sono fatti tragici, ma non sordidi. Almeno c'è un fondo di dignità».

«Non c'è nessuna dignità nell'uccidere una ragazza di quindici anni che ha tutta la vita davanti, mi dispiace».

Lei abbassò la testa.

«La sua dichiarazione...» ripresi, ma lei, già meno rallentata dai tranquillanti, mi interruppe:

«Sì, ripeterò tutto davanti al giudice. Quanti anni credete che mi daranno?».

«Sinceramente, non lo so. Costituendosi subito, avrebbe potuto sperare in qualche attenuante».

«Già. Ma mi ero illusa che per uno strano scherzo del destino la colpa ricadesse su Kevin. Non potevo sapere che aveva l'alibi della figlia del preside».

«Davvero avrebbe lasciato che a pagare fosse il ragazzo?».

«Sì» disse senza esitazioni, e scoppiò in una grottesca risata. «A proposito» riprese: «perché avete sospettato di me? Non penserete che abbia creduto a quell'assurdo messaggio sul cellulare? E poi sono sicura che nessuno può avermi visto quella sera».

«Abbiamo sospettato perché ci è parso strano che una persona coscienziosa come lei ignorasse i problemi di Noemí, quando invece tutti ne erano al corrente».

«Non pensavo certo che quella sciocchina andasse a sbandierare ai quattro venti la sua umiliazione. Ma sapete cosa vi dico? Sono contenta che sia stato questo a mettervi sull'avviso. Significa che ho una buona reputazione, anche se ho commesso un errore, e che la mia fama di persona integerrima rimarrà intatta».

Uscimmo molto tardi dal commissariato quella sera. Proposi a Garzón di prenderci una birra prima di andare a casa. Poiché lo vedevo meditabondo e silenzioso, gli chiesi:

«A che cosa pensa, Fermín?».

«Sa che non lo so? Sono confuso. Non capisco se quella tizia è una martire della sua causa o è completamente fuori di testa».

«Tutte e due le cose».

«Ma forse non è questo che importa. Quel che mi preoccupa è che può venirle in mente di raccontare del messaggio che le abbiamo mandato. Una cosa del genere può metterci in grossi guai».

«Non succederà. Come ha detto lei, si sente una martire. Tacerà qualunque cosa pur di andare fino in fondo nel suo martirio».

«È strana la gente, vero, Petra?».

«Se non lo sa lei».

Il commissario ci ordinò di recarci un'ultima volta all'istituto per informare le autorità scolastiche degli sviluppi della vicenda. Avvertii seriamente il viceispettore:

«Vediamo chi ci riceverà, adesso, ma sia ben chiaro che dobbiamo parlare solo col preside o con chi ne fa le veci. Non una parola con nessun altro».

La raccomandazione non fu vana. Era evidente che dentro la scuola correvano voci, anche se nessuno era stato informato ufficialmente. Ci abbordarono i bidelli, Iván e il signor Leandro, e anche l'insegnante di matematica, e quando arrivammo in presidenza avevamo lasciato al nostro passaggio una lunga scia di sguardi interrogativi. Il preside era tornato al suo posto. Ci fissò con aria grave, ci invitò ad accomodarci e ascoltò tutta la storia di Marta Sardà con costernazione. Alla fine si tolse gli occhiali e si strofinò gli occhi più volte. Poi ci guardò:

«Che tragedia. Sapevo che Marta era seguita da uno psichiatra, ma arrivare fino a questo punto... Dio mio. Ve l'avevo detto che la scuola è un ambiente complicato. L'incontro tra mondi e sensibilità diverse può creare situazioni molto critiche. Io stesso ho potuto vivere questa drammaticità sulla mia pelle».

«Se non altro questo la aiuterà a essere più consapevole dei problemi e a cercare soluzioni appropriate».

«È duro ammetterlo, ma è così. Anche mia figlia ha capito di avere sbagliato, e adesso sono convinto che... Scusatemi, non siete qui per le mie vicende personali. Purtroppo abbiamo perso una buona allieva, e una buona insegnante. Questa vicenda ha scosso gli animi di tutti».

«Noi comunque la ringraziamo per la collaborazione. Siamo rimasti colpiti dall'efficienza con cui dirige questo istituto, continui così».

«Sono tempi difficili per l'insegnamento, signori, e anche se oggi la scuola non gode di grande prestigio, qui si gettano le basi per il futuro della nostra società. Per questo vale la pena lottare ogni giorno».

Uscimmo toccati dalle parole del preside, ma anche contenti che il caso si fosse risolto così rapidamente. Come mettemmo piede fuori dalla porta, trovammo, oh gioie della vita moderna!, il giornalista con cui aveva parlato Garzón il primo giorno.

«Salve, come mai da queste parti?» dissi, con un entusiasmo che lo lasciò interdetto.

«Be', ho saputo che questo pomeriggio ci sarà una conferenza stampa sulla vicenda; ma magari potreste anticiparmi qualcosa, sarebbe un'esclusiva incredibile per l'edizione online del mio giornale».

«Eh, già, incredibile davvero. Ma certo! Perché non dare una mano ai giovani? Scrivi, ragazzo, che adesso ti racconto».

Il ragazzo in questione tirò fuori un taccuino da cronista degli anni Cinquanta, mentre il viceispettore mi guardava sempre più stupefatto.

«Dunque, il colpevole della morte della ragazza è stato un ginnasta che si è introdotto da una finestra travestito da gallinaceo. Lo faceva per potersi esercitare gratuitamente con gli attrezzi della scuola, essendo disoccupato e non avendo i mezzi».

Smise di scrivere e mi guardò dispiaciuto:

«E va bene, ispettore. Vedo che mi serbate rancore per quello che ho pubblicato».

«Rancore, dici? Rancore? Noi ignoriamo il significato di questa parola. Noi siamo esseri angelici, praticamente eterei, e per dimostrartelo ti offriamo anche una birra spumeggiante e fresca come acqua di fonte. Lei è d'accordo, viceispettore Garzón?».

Garzón rideva come un matto.

«Pienamente d'accordo, ispettore Delicado».

Passai le braccia intorno alle spalle di tutti e due, e trasformati in uno strano terzetto ce ne andammo alla ricerca di un bar dove sciogliere in un boccale di birra le nostre divergenze, soluzione che per fortuna ancora funziona in questo nostro disgraziato paese quando ci sono ferite da sanare.

Vinarós, agosto 2014

Indice

Sei casi per Petra Delicado

Questo volume è stato stampato
su carta Arena Ivory Smooth
delle Cartiere Fedrigoni
nel mese di aprile 2024

Stampa: Officine Grafiche soc. coop., Palermo
Legatura: LE.I.MA. s.r.l., Palermo

La memoria

Ultimi volumi pubblicati